Zibia Gasparetto

Zibia Gasparetto está entre os autores brasileiros mais admirados de todos os tempos, com cerca de 16 milhões de livros vendidos e 50 milhões de leitores. Suas obras, que contribuem para o fortalecimento da literatura espiritualista no mercado editorial e para a popularização da espiritualidade, também já foram publicadas em inglês, espanhol e japonês. Nascida em 29 de julho de 1926 em Campinas, interior de São Paulo, Zibia tornou-se escritora psicografando livros. Sua ligação com o mundo espiritual começou aos 22 anos de idade e o primeiro livro que psicografou foi o romance *O amor venceu*, ditado pelo espírito Lucius e lançado em 1958. De lá pra cá, a autora já escreveu mais de 40 livros, entre romances, crônicas e livros de pensamentos, e ainda hoje trabalha em diferentes obras ao mesmo tempo.

Coordenação de Arte: Marcio Lipari
Capa e projeto gráfico: Marcela Badolatto
Diagramação: Priscilla Andrade
Preparação: Mônica Gomes d'Almeida
Supervisão de revisão: Cristina Peres

1ª edição — 2ª impressão
20.000 exemplares — novembro 2012
Tiragem total: 65.000 exemplares

Dados Internacionais de Catalogação na Publicação (CIP)
(Câmara Brasileira do Livro, SP, Brasil)

Contos do dia a dia / Espíritos diversos ;
psicografado por Zibia Gasparetto. — São Paulo :
Centro de Estudos Vida & Consciência Editora, 2012.

ISBN 978-85-7722-225-4 – brochura
ISBN 978-85-7722-230-8 – capa dura

1. Contos espíritas 2. Espiritismo 3. Psicografia
I. Gasparetto, Zibia.

12-12912 CDD-133.93

Índices para catálogo sistemático:
1. Contos psicografados : Espiritismo 133.93

Este livro adota as regras do novo acordo ortográfico (2009).

Editora Vida & Consciência
Rua Agostinho Gomes, 2.312 – São Paulo – SP – Brasil
CEP 04206-001
editora@vidaeconsciencia.com.br
www.vidaeconsciencia.com.br

ZIBIA GASPARETTO

pelos amigos espirituais

CONTOS do dia a dia

Apresentação

Zibia Gasparetto

Recordar é viver. Os contos que apresento neste livro me fizeram lembrar os momentos bons em que tive provas da grandeza da vida e da eternidade do espírito.

Grande parte delas aconteceram nas reuniões em noites de quinta-feira, no Caminheiros. Às vezes, eu recebia mensagens para os presentes ou contos, os quais lia no final, sempre com ensinamentos, que nos faziam refletir. Alguns contos foram publicados anteriormente, estes ficaram guardados e acredito que agora seja o momento oportuno de fazê-lo.

No salão lotado, iluminado apenas por uma pequena luz vermelha, enquanto eu psicografava, meu filho Luiz recebia os mestres da pintura.

Ao som de Vivaldi, que os próprios espíritos pediam para colocar bem alto, Luiz, tendo ao lado uma vasilha com água e uma caixa de crayons, num saco de pano manchado, manuseava as bisnagas de tinta no escuro de maneira mágica. Embora elas estivessem misturadas dentro do saco, tirava a cor exata de que precisava, e os quadros multiplicavam-se rapidamente.

Todos esperavam pelo final, quando as luzes eram acesas e Luiz mostrava cada uma das pinturas, algumas em papel-cartão, com tinta acrílica ou crayons, e outras em telas.

Muitas provas os espíritos nos deram da veracidade do fenômeno e quero dividir algumas com você.

Certa vez, o espírito de Modigliani cortou o papel-cartão em quatro partes, pintou várias pessoas cujos nomes ele escreveu. Ao mostrar essas pinturas, três das pessoas retratadas estavam no salão e pudemos verificar que os retratos estavam fiéis. A quarta pessoa não estava na sala, havia saído para fumar e alguém que a conhecia foi buscá-la e pudemos conferir. Até a cor da echarpe que ela usava estava perfeita.

Algumas vezes os espíritos pediam ao Luiz que desse um dos quadros a determinada pessoa, o que ele fazia sempre. Uma noite, não me recordo qual foi o pintor, fez uma linda moça e pediu que o quadro fosse entregue a uma jovem presente.

Ela, muito emocionada, procurou-nos para contar que gostava muito daquelas reuniões, mas que seu noivo não acreditava em espíritos. Apesar disso, a levava de carro até o centro e ia buscá-la na saída.

Naquela noite, assim que entrou no carro, ela lhe mostrou o retrato. Ao vê-lo, ele empalideceu, passou mal e, quando finalmente pôde falar, contou que a moça do retrato era sua ex-noiva que havia falecido.

Não sei se ele mudou depois desse fato, mas certamente a semente da espiritualidade deve ter ficado gravada em seu espírito e um dia frutificará.

Muitos outros casos aconteceram e hoje eu lamento não tê-los registrado detalhadamente. Em nossa ingenuidade, contentávamo-nos apenas em viver esses tempos e aprender com eles.

Hoje sei que a certeza da eternidade amplia nossa visão e faz com que enfrentemos os desafios do dia a dia com coragem e determinação.

Se você ainda não tem certeza da eternidade, vá em busca das provas porque a vida está pronta para lhe mostrar o que precisa aprender. Ela trabalha em favor de nossa evolução.

É com entusiasmo que convido você a ler estes contos, renovar ideias, abrir novos caminhos e seguir adiante com firmeza, alegria e luz.

Contos psicografados

Marcelo Cezar

O contato com o mundo espiritual pode ser feito de diversas formas. Uma delas, muito conhecida, é a psicografia, ou seja, a capacidade de uma pessoa escrever mensagens orientada pelos espíritos. De acordo com Allan Kardec, que codificou o espiritismo, a psicografia é uma das múltiplas possibilidades de expressão mediúnica existentes, classificada como um tipo de *manifestação inteligente*, por consistir na comunicação escrita de um espírito através de um *médium* [pessoa com sensibilidade para perceber as energias astrais e os espíritos ao seu redor].

Alguns médiuns recebem mensagens de parentes desencarnados, outros têm a facilidade de receber histórias, contos, romances. Isso varia de pessoa para pessoa e tem muito a ver com o grau de mediunidade de cada um.

Mas por que escrever contos ou romances ditados pelos espíritos? Porque, quando desencarnamos, nosso espírito se liberta das energias do mundo físico, que são muito densas. Daí a nossa sensibilidade se abre e nossa lucidez se amplia. E, na vida astral, os espíritos valorizam efetivamente tudo aquilo que possa levar o ser humano a descobrir os verdadeiros e eternos valores da alma, porquanto são esses valores que conduzem ao equilíbrio e à paz.

O objetivo maior das histórias psicografadas é esclarecer como funcionam as leis da vida, para que você possa aprender a disciplinar a mente, o emocional e tornar-se mais feliz.

Então é fácil escrever sob a influência dos bons espíritos? É fácil, sim, mas, para quem quer participar desse fascinante intercâmbio entre as duas dimensões, é necessário uma grande dose de disposição, persistência e, acima de tudo, disciplina. Muita disciplina. Chico Xavier costumava citar o espírito Emmanuel, o qual salientava que a disciplina é elemento fundamental para essa prática.

Estes contos inéditos que chegam até você foram psicografados por Zibia Gasparetto ao longo de mais de trinta anos, a maioria recebida pelos amigos espirituais durante as sessões em que seu filho Luiz Gasparetto recebia os mestres da pintura. Todos os textos são assinados. Alguns espíritos são conhecidos do público, outros não. Segundo os espíritos, não importa a assinatura, não é ela quem dá peso à história, mas sim a essência. São histórias simples, que a vida escreve todos os dias, porém nos fazem refletir.

Os contos valem pelo bem que conseguem promover naquele que os lê, pelos valores verdadeiros que nos tocam a alma e pelos ótimos pensamentos que nos inspiram. Boa leitura!

Sumário

O encontro _______________ 19
Gilberto Freyre

Ultrapassando limites _______________ 35
Marcos Vinícius

Encontro com o bem _______________ 49
Enio Santos

O encosto _______________ 73
Gustavo Barroso

Planejando o futuro _______________ 91
Geraldo Medeiros

O recesso _______________ 105
Marcos Vinícius

Conversando com Deus _______________ 111
Paulo Setúbal

Encontro com o destino ______________ 125
Acássio Mendes

A poesia ______________ 137
Albert Schultz Wasserman

A volta ______________ 141
Um amigo

Vantagens do saber ______________ 151
Marcos Vinícius

O relógio de ponto ______________ 163
Marcos Vinícius

O caipira ______________ 173
Gustavo Barroso

Reflexão ______________ 189
Oswald de Andrade

O encontro

Gilberto Freyre

Irene se preparou cuidadosamente. Fez o possível para melhorar sua aparência, vestiu sua melhor roupa, escolheu seus adereços mais caros. Finalmente ficou pronta. Olhou-se no espelho. Apesar de haver feito o que podia, não gostou do que viu. Seus cabelos não estavam brilhantes, suas faces pareciam-lhe sem vida apesar da excitação. Seu vestido não lhe caía como gostaria. Por que não saíra para comprar um novo?

Olhou no relógio. Agora não daria tempo. Precisava conformar-se em ir como estava. Faltava apenas meia hora para o encontro. Como esperara por aquele momento! Tanto tempo fazia e era como se nada houvesse mudado. Seu coração descompassava-se da mesma forma, suas pernas tremiam como naquele tempo, a mesma tensão, a mesma ansiedade.

Vinte anos depois. O que ele desejaria? Com certeza pedir-lhe perdão. Dizer-lhe que se arrependera. Mas ela teria coragem de perdoar? De esquecer aqueles anos de depressão e constrangimento? A sensação desagradável do fracasso reapareceu aguda.

Sentiu-se novamente na igreja, vestida de noiva, nervosa, carregando o buquê de botões de rosas brancas, caminhando sem sentir os pés tocarem o chão.

Seu amor de tantos anos! Ele estava lá, bonito, elegante, sério. Sua fisionomia fechada e seus olhos sem brilho pareciam distantes. Por que ela não percebera nada? Por que não recuara naquele instante?

Mal se lembrava das palavras do padre na cerimônia. Queria que tudo acabasse logo. Fez tudo como havia ensaiado. Seu vestido de cetim de longa cauda não a impediu de deslizar elegante num farfalhar delicado. Ao sair da igreja de braço com o marido, sentia-se vitoriosa. Havia conquistado o mundo!

Na festa, percebeu que o marido estava pensativo e nervoso. Finalmente a hora tão esperada da viagem. Rodeada de amigas que preparavam o seu bota-fora, em meio às brincadeiras, Irene trocou de roupa e colocou os últimos objetos na mala. Tudo pronto, esperou. Esperou, esperou.

As amigas se foram, o dia estava amanhecendo e ela esperava silenciosa, pronta. Era a própria imagem do desconforto. Por que ele se demorava tanto? Fora apenas apanhar a mala.

Quando o dia clareou, um mensageiro trouxe a carta. Ela leu várias vezes para entender o que ele lhe escrevera:

Irene, sinto muito. Mas não dá para levar avante nosso casamento. O que aconteceu entre nós foi um acidente. Eu não queria prejudicá-la, mas a proximidade, seu amor por mim, envolveu-me e eu fraquejei. Eu não queria casar. Sabia que não a amava para isso. Mas seu pai me obrigou. Ameaçou-me de morte. Propus dar o nome para nosso filho quando nascesse, mas ele não aceitou. Disse que não queria que você fosse mãe solteira. Não tive como recusar. Casei, mas ninguém vai me obrigar a viver em sua companhia. Não me procure porque não voltarei nunca mais. Adeus.

Eduardo

Finalmente entendeu. A vergonha, o fracasso tornaram-na fria e dura. Brigou com o pai e ficou longo tempo sem sair de casa e sem receber ninguém. Sua vida estava acabada! Preocupados, seus pais mudaram de cidade, e ela passou a dizer-se viúva. Quando seu filho nasceu, ela proibiu a família de contar-lhe a verdade. Armando acreditou que o pai houvesse morrido em um acidente de carro antes de ele nascer.

Nunca mais namorou. Seu coração estava fechado. Havia jurado que nunca mais sofreria por homem algum. Eduardo nunca lhe contara a verdade. Nunca lhe dissera que não pretendia se casar nem que seu pai o estava obrigando. Se soubesse, não teria concordado com o casamento.

Vinte anos e ela não conseguia atirar fora aquela sensação de fracasso, de rejeição, que lhe queimava as faces fazendo-a estremecer de vergonha. Atirou-se ao trabalho e conseguiu independência financeira. Mudou-se para uma casa própria em São Paulo, onde dividia seu tempo entre o filho e o escritório de uma

grande empresa em que ocupava um cargo destacado. Vendo-a sempre só, disposta a cortar qualquer relacionamento amoroso, seus amigos acreditaram que Irene continuava amando o marido morto.

Quando alguém fazia referência a isso, ela sorria e em seus olhos passava uma chama de rancor que procurava ocultar. Muitas vezes Armando perguntava-lhe como era o pai. Olhando o retrato de casamento em um belo porta-retratos que ela mandara colocar na sala, ela sorria e descrevia o homem que ela gostaria que ele houvesse sido. O filho ouvia enlevado. Nunca desconfiara de nada.

Naquela manhã, ao atender o telefone, estremecera. O tempo não a havia feito esquecer aquela voz!

— Irene, sou eu, Eduardo. Preciso falar-lhe urgente.

A voz fugiu, o ar faltou, ela pensou que fosse desfalecer.

— Está ouvindo, Irene? É você? Preciso lhe falar.

Ela se esforçou para dominar-se. Engoliu a saliva, respirou fundo e conseguiu dizer:

— Você? O que quer?

— Falar-lhe.

— Para quê? Depois de tanto tempo?

— Por favor. É urgente.

— Não temos nada a nos dizer. Passou muito tempo!

— Eu sei. Custei a encontrar seu endereço.

— O que pretende?

— Falar-lhe. Vamos marcar um encontro para conversar.

— Não sei. Acho melhor não!

— Por favor, precisamos conversar. Me atenda!

Ela ficou silenciosa durante alguns segundos, depois decidiu:

— Está bem. Onde?

— Passarei em sua casa às oito para apanhá-la.

— Em minha casa não.

— Na esquina da sua casa então.

— Sabe onde fica?

— Sei. Às oito estarei lá. Meu carro é cinza.

— Está certo. Irei.

Irene olhou o relógio e suspirou angustiada. Faltavam dez para as oito. Armando saíra com amigos. Olhou-se no espelho mais uma vez. Como gostaria de ser linda, elegante, maravilhosa, para poder vingar-se dele naquela hora. Para ver em seus olhos o arrependimento por havê-la perdido!

Contudo, ela não se achava bonita. Seus amigos diziam, era sempre muito requisitada pelos homens, mas era porque ela era independente, bem na vida e indiferente. Eles gostavam de conquistar uma mulher difícil. Só por isso a rodeavam. Se ela cedesse, tinha certeza de que logo a colocariam de lado. Ela jurara que nunca mais haveria de ser rejeitada por ninguém.

Trincou os dentes com raiva. Por que Eduardo a estaria procurando depois de tantos anos? Seu filho não podia saber. Ela nunca permitiria que eles se aproximassem. Ele o havia rejeitado e agora não tinha o direito de perturbar sua vida. Ela não iria permitir.

Olhou pela janela e viu um carro cinza parado na esquina. Seu coração bateu mais forte. Era ele, certamente. Apanhou a bolsa e desceu as escadas. Suas pernas tremiam. Foi à copa e tomou alguns goles de água. Tinha que se controlar. Ele não podia saber o quanto ela havia sofrido.

Respirou fundo, compôs a fisionomia e deu uma olhada no espelho do hall. Seu rosto estava calmo. Ele não desconfiaria de nada. Com gestos estudados, saiu, fechou a porta e dirigiu-se ao carro parado na esquina. Ao aproximar-se, a porta abriu. Irene olhou e Eduardo pediu:

— Entre, por favor.

Ela sentou-se fechando a porta. Olharam-se. Ela notou alguns fios de cabelos brancos nas têmporas. Olhos ansiosos, ele agradeceu:

— Obrigado por ter vindo.

— Vamos sair daqui, conversar em outro lugar — propôs ela.

Ele ligou o carro e saiu. Rodaram algum tempo em silêncio.

— Talvez possamos ir a algum lugar, tomar alguma coisa e conversar.

— Não pretendo me demorar. Podemos conversar aqui mesmo.

— Como queira.

Era uma rua calma em um bairro residencial. Eduardo parou sob uma árvore. Olhou-a sério, depois fez um elogio:

— Você está muito bem. Venceu na vida.

Ela o olhou tentando entender.

— É. Venci.

— Nunca pensei. Você parecia tão ingênua, tão sem iniciativa. Informei-me e sei que ocupa um cargo importante na empresa.

— É verdade. Mas vamos ao assunto: por que me procura depois de tantos anos?

— Bem, quero que saiba que eu me arrependi do que lhe fiz. Para ser sincero, eu não queria mesmo ir embora, mas a Neusa me pressionava, ameaçava fazer um escândalo se eu a largasse. Fiquei com medo. Seu pai não era de brincadeira. Eu tinha dois filhos com ela. O jeito mesmo era ir embora. Foi o que fiz.

Irene o olhava surpreendida, como se o estivesse vendo pela primeira vez. Ele não era o homem que guardava na lembrança. Estava malvestido, roupa surrada, cheirando a suor. Tinha um modo grosseiro de falar, muito diferente das pessoas às quais estava acostumada. Como ele havia mudado!

Ela havia se preparado para cobrar-lhe de alguma forma o passado, mas, vendo-o agora, não sentia vontade de mais nada. Sua raiva evaporou-se. Não conhecia aquele homem. Era um estranho a quem ela nunca havia amado.

Vendo-a em silêncio, ele fez um ar compungido e perguntou:

— Você ainda está com raiva de mim?

— Não. Na verdade, não — respondeu ela com certo alívio.

— Ainda bem que entendeu. É importante para mim que tenha me perdoado.

— Você ainda não disse por que me chamou aqui.

— Bem, sabe como é. As coisas andam difíceis para mim. Estou desempregado, meus filhos estão trabalhando, mas ganham pouco. Pensei que você pudesse me ajudar.

Irene olhou-o pasmada. Estaria ouvindo bem?

— Não estou entendendo — emendou. — Você está me pedindo um emprego?

— Não. Não tenho muita saúde. Meu filho pretende trabalhar na sua empresa. É um cargo bom, ele é muito capaz, tem todos os diplomas, é estudado. Preencheu a ficha, mas está difícil. Foi ele

quem no outro dia me mostrou você na confeitaria, contando que era a chefona daquela empresa. Eu a reconheci logo! Puxa vida! Mas fiquei quieto. Ele não sabe de nada. É um bom moço, trabalhador, sabe? Ele sustenta a casa, já que eu não posso trabalhar muito e a mãe é doente. Se ele conseguir esse emprego, nossa vida vai melhorar.

Irene olhou aquele homem maneiroso, malcheiroso, reticencioso, e de repente a tensão se rompeu. Ela começou a rir, a rir. Ele, assustado, não sabia o que dizer. Irene ria, ria sem parar.

Abriu a porta do carro e saiu. Respirou o ar puro com satisfação. Seus olhos brilhavam de alegria. Parecia-lhe ser adolescente de novo. Ele, surpreendido, saiu do carro e aproximou-se, fixando o olhar nela. Irene esforçava-se para segurar o riso.

— O que foi? Eu disse alguma coisa engraçada? — ele perguntou.

— Não. Não disse nada.

— Não estou entendendo. Então, por que está rindo tanto?

— Estou rindo de felicidade. Sou a mulher mais feliz do mundo. Estou livre!

Ele olhou-a sem entender. Ia pronunciar algo, mas ela tornou:

— Vou embora.

— Estamos longe de sua casa. Vou levá-la de volta.

— Não é preciso.

— E... quanto ao emprego para o meu filho?

— Verei o que posso fazer. Se ele realmente preencher os requisitos para o cargo, eu o recomendarei. Mas, veja bem, só se ele for competente mesmo.

Ele sorriu maneiroso:

— Isso ele é. Não vai se arrepender. É trabalhador, sério. Obrigado mesmo. Relutei um pouco em vir a este encontro. Temia estragar tudo. Você poderia querer vingar-se de mim. Tinha a faca e o queijo nas mãos. Felizmente não foi assim. Muito obrigado!

— Não me agradeça. Quando você me deixou, fez um favor enorme. Estou apenas retribuindo. Em troca, peço-lhe outro favor.

— Fale. Farei tudo o que quiser.

— Nunca mais me procure. Esqueça meu endereço e que me conheceu.

— Se quer assim.

— Adeus — despediu-se ela, estendendo a mão com firmeza, que ele segurou frouxamente.

— Adeus — respondeu Eduardo.

Irene foi andando contente. Sentia-se leve, alegre, feliz. Estivera cega durante vinte anos. Carregara uma ilusão, frustrara-se com ela, subestimara-se. Nada disso era verdade. Ela não era a mulher rejeitada, malquerida que julgava ser. Ela era forte, capaz.

Pela primeira vez teve consciência da própria força. Criara seu filho com decência e bons hábitos. Ajudara-o a desenvolver seus talentos. Construíra seu mundo, com conforto, beleza e respeito.

A passos firmes, Irene atravessou a avenida e tomou um táxi. Estava arrumada e não voltaria para casa. Procuraria alguns amigos para distrair-se. Deu o endereço ao motorista e acomodou-se gostosamente no assento macio.

Estava livre! Dali para frente tudo seria diferente. Sua vida poderia até ser a mesma, já que tudo estava muito bem, mas ela... ela, sim, estaria aberta à alegria e à felicidade.

Ultrapassando limites

Marcos Vinícius

Gervásio estava triste e infeliz. Havia muitos anos que ele se dedicava ao trabalho com determinação e coragem, porém, apesar disso, não havia progredido na empresa. Ao contrário, enquanto outros que tinham entrado muito depois dele haviam conseguido progredir, ele permanecia andando a passos lentos, passando por dificuldades, uma vez que as duas filhas já mocinhas requisitavam a cada dia mais dinheiro para os estudos e ele queria proporcionar-lhes mais conforto e alegria.

Naquela tarde, ele sentia-se particularmente desanimado. Marizinha o avisara de que a faculdade aumentara a mensalidade e pedira-lhe dinheiro para comprar um vestido, entretanto, depois de fazer várias contas, ele fora forçado a dizer não.

Negar um pedido de Marizinha, que sempre fora uma filha exemplar e estudiosa, era-lhe sumamente desagradável. Além disso, Glória havia lhe pedido uma geladeira nova porque a velha quebrara, e o conserto ficaria tão caro que melhor mesmo seria comprar outra. Gervásio pedira à esposa para esperar, porquanto seu salário já estava sendo usado com mil artimanhas para poder manter as despesas em dia.

Essas dificuldades davam-lhe uma sensação de fracasso que o amargurava. Vinte anos trabalhando duro, dez só no mesmo lugar, e não havia conseguido dinheiro suficiente nem para manter a família com conforto.

Às vezes, sentia vontade de procurar outro emprego, uma vez que não estava sendo valorizado de acordo com o que valia. Estava cansado de assistir à desonestidade de funcionários relapsos e maldosos, que muitas vezes progrediam e eram vistos como pessoas de valor, enquanto ele, sempre honesto, prestativo, nunca se recusava a atender o que lhe pediam, continuava esquecido na sua função sem ter oportunidade de subir na vida.

Sentou-se em frente da escrivaninha pensativo e sem ânimo para trabalhar. Alguma coisa precisava acontecer em sua vida. Tinha que pensar em algo para sair daquela situação.

Arrastou o serviço como pôde, sempre pensando em seus problemas financeiros, e resolveu: iria procurar outro emprego. Se naquela empresa não o valorizavam, haveria de encontrar outra que soubesse apreciar suas qualidades.

Saiu no fim do expediente e comprou o jornal para verificar as possibilidades. Deparou logo com a seguinte manchete: "O desemprego aumenta dia a dia no Brasil". Sentiu um aperto no peito, mas reagiu. Ele iria procurar outro emprego mesmo assim.

"Você é responsável por tudo quanto lhe acontece, suas atitudes e crenças atraem todas as situações em sua vida."

Apanhou o ônibus e, assim que se acomodou perto da janela, abriu o jornal na seção de empregos e começou a ler. O passageiro que estava ao seu lado esforçava-se para ler alguma coisa do jornal dele e isso o incomodou um pouco. Fechou o jornal e resolveu que continuaria em casa.

O companheiro do lado não se importou. Avisou logo:

— Emprego está difícil! Estou vindo do sindicato agora. Há uma multidão de desempregados que se avoluma a cada dia. Estou procurando há seis meses.

Gervásio remexeu-se no assento e respondeu:

— Eu estou trabalhando. Estava só querendo saber como vão os salários.

— Baixos. Eu tive até que tirar outra carteira porque estava com salário alto e ninguém queria dar-me emprego por causa disso. Mas não adiantou.

— Ficar desempregado é terrível.

— Você nem imagina. Minha mulher briga comigo todos os dias. Meus filhos perderam o respeito. Até meus amigos me olham com comiseração, como se eu fosse preguiçoso e não quisesse trabalhar. Não sei mais o que fazer da minha vida.

— Nessa hora há que ter coragem, continuar procurando. Não pode desanimar.

— É que o mercado está muito ruim. As empresas estão cortando pessoal. No sindicato eles dizem que o governo é incompetente. Eu concordo e até acho que os políticos estão explorando o povo, levando nosso dinheiro. É por isso que este país não vai para a frente.

Gervásio ainda tentou reagir, levar adiante o otimismo, apesar de sentir no fundo que ele tinha razão, uma vez que sabia por experiência própria que a vida estava difícil mesmo.

Chegou a sua casa abatido, desanimado. Valia a pena viver? Glória foi logo dizendo:

— Aconteceu alguma coisa? Você está com uma cara!

— Não aconteceu nada. Isso é que está me matando. Não aconteceu nada. Tudo continua igual. Sempre a mesma luta com o dinheiro.

Glória suspirou pensativa.

— Vida de pobre é assim mesmo. Precisamos nos conformar.

Abatido, ele sentou-se na sala sem vontade de tomar banho, como fazia antes do jantar. Foi quando Marizinha abriu a porta e, vendo-o, aproximou-se. Manifestou-se alegre:

— Papai, que bom que está aqui! Precisamos conversar.

Gervásio abanou a cabeça.

— Hoje, não. Estou cansado. Deixe para outro dia.

Se ela lhe pedisse dinheiro, ele ia ter uma crise. Não estava disposto a brigar com ela. Mas a mocinha não se deu por vencida.

— Quero lhe informar que não vou mais fazer faculdade. Preciso trabalhar. Não posso mais ficar vivendo do seu salário. Tenho dezoito anos e quero cuidar da minha vida.

Ele sacudiu a cabeça energicamente.

— Deixar os estudos? De forma alguma. Tenho trabalhado a vida inteira, me sacrificando para pagar escola e não posso deixar que estrague sua vida dessa forma.

— Já me formei no ensino médio. Não posso viver à sua custa. Se eu trabalhar, você vai ficar mais folgado. Terei dinheiro para minhas despesas pessoais e até um pouco para ajudar nas despesas da casa.

Ele sorriu irônico.

— Você? Quanto pensa que vai ganhar? Nunca trabalhou, não tem experiência. Vai deixar de estudar para ganhar um mísero salário que não dará nem para seus alfinetes. Não. Não posso concordar.

Marizinha olhou-o firme e respondeu:

— Já decidi, pai. Mesmo que não concorde, é o que farei.

— Como já decidiu? Está vendo, Glória? Ela já decidiu sem nos consultar. Onde já se viu?

Glória se aproximou olhando-os calada. Ele continuou:

— O que você pensa que é trabalhar fora? Acha que vai conseguir emprego?

Apanhou o jornal, estendeu-o a ela e prosseguiu:

— Estamos na maior crise de desemprego, o mercado atravessa a maior crise de sua história, as pessoas estão lutando para sobreviver. Gente que tem profissão, sabe trabalhar, não consegue melhorar de vida. Você vai deixar os estudos por nada.

Marizinha olhou o pai e balançou a cabeça, afirmando convicta:

— Pai, agora percebi por que você não progride na vida. É a pessoa mais pessimista que eu já vi. Além do mais, não confia na própria capacidade.

Ele a olhou admirado. Estava ouvindo bem? Ele, pessimista?

— Estou sendo realista. Não tenho culpa se a nossa realidade é esta.

— Não é, não. Essa é a sua realidade. Há pessoas que não pensam dessa forma e estão progredindo, vivendo com fartura, tendo dinheiro até para futilidades. Elas acreditam que podem viver melhor.

— São os privilegiados. Os que nasceram em berço de ouro ou vivem de trapaças. Ganhar dinheiro honestamente é duro.

— Eis aí outra crença errada. Pai, você está enganado. O dinheiro pode ser ganho com honestidade. A riqueza pode ser fruto de um bom trabalho. Há muitas pessoas que estão enriquecendo por saber aproveitar as oportunidades que a vida lhes dá, por confiarem na vida e na própria capacidade.

— De onde tirou essas ideias?

— De alguns livros de pessoas que pesquisaram o comportamento humano e chegaram à conclusão de que você é responsável por tudo quanto lhe acontece, que suas atitudes e crenças atraem todas as situações em sua vida. Eles estão certos. Você tem uma cabeça pobre. Não se julga

capaz de enriquecer. Tem preconceitos, pensando que o dinheiro só vai para quem é desonesto. Isso não é verdade.

Ele a olhou admirado. Parecia-lhe impossível que isso fosse verdade.

— Eu sempre quis progredir na vida, tive vontade de dar a vocês todo conforto e bem-estar. Mas de que adiantou? Nunca consegui.

— Ter vontade de progredir não significa que acredita poder. Ainda agora, justificava sua falta de dinheiro culpando o mercado, a crise etc. Não tenho nenhuma dúvida de que a causa de sua falta de dinheiro está na sua maneira de olhar. Está só pensando no que falta, jamais valoriza seus conhecimentos, suas qualidades. Conforma-se em ficar em segundo plano em tudo. Nunca contesta uma situação, ainda que esteja errada. Eu não penso assim. Sei que vou ganhar muito dinheiro. Por isso, não vou prestar o vestibular. Um dia, quando tiver muito dinheiro, se quiser, voltarei a estudar. Hoje preciso cuidar da minha vida.

Ele riu com incredulidade. Balançou a cabeça negativamente. Ela era uma criança. Não sabia nada da vida. Ia bater a cabeça e se arrepender quando a realidade aparecesse.

Apesar do que ele e Glória alegaram, Marizinha fez o que disse. Não prestou o vestibular e todas as tardes continuava indo ajudar uma amiga que preparava congelados para vender. À noite, ia à casa de uma vizinha praticar no computador.

O pai, só para mexer com ela, perguntava de vez em quando:

— Você comentou que ia procurar emprego. Nunca olha o jornal. Não tem currículo para mandar. Como pensa que vai conseguir?

— Meu dinheiro está a caminho. Estou trabalhando minhas crenças. Quando eu estiver pronta, a vida vai trazer a oportunidade para mim. Vou ganhar muito dinheiro, fazer o que eu gosto, ser feliz.

Ele ria incrédulo e irônico:

— Um dia você vai deixar essa ilusão. Chega de sonhar!

Um mês depois, eles estavam reunidos na sala após o jantar quando a Jane, que fazia congelados, apareceu radiante e foi contando logo a novidade:

— Consegui aquela franquia no shopping. Meu tio emprestou o dinheiro e quero que você seja minha sócia. Só vou aceitar se você vier comigo. Vamos ganhar muito dinheiro e poderemos pagar meu tio. O que acha?

Gervásio olhou-as assustado, sem saber o que dizer, e ficou o tempo todo ao lado delas ouvindo-as planejar tudo, percebendo, pela primeira vez, o quanto Marizinha era inteligente, trabalhadora, a tal ponto que Jane confiava nela para fechar o negócio.

Depois que ela se foi, ele se aproximou de Marizinha e, antes que ela falasse alguma coisa, pediu:

— Será que você pode me emprestar um daqueles livros? Acho que estou precisando aprender um pouco mais.

Diante do riso de Glória, Marizinha foi para o quarto e trouxe-lhe um livro. Ele afundou na poltrona e começou a ler.

Marizinha olhou para a mãe e confidenciou baixinho:

— Agora, tenho certeza de que ele vai começar a progredir.

Encontro com o bem

Enio Santos

Osório chegou a sua casa nervoso, irritado. O dia havia sido penoso e nada dera certo. Logo cedo seu chefe o convocara para cobrar todos os problemas não resolvidos chamando-o à ordem.

Um cheque que havia recebido de um amigo e depositara no banco não tinha fundos e ele precisava daquele dinheiro para o aluguel da casa. Arrependia-se amargamente de haver emprestado a ele esse dinheiro. Por que não sabia dizer não? Sabia que o dinheiro estava reservado para o pagamento do aluguel. Ele prometera devolver no dia certo, mas o cheque voltara. E agora, o que fazer?

Apesar de estar sem fome, na hora do almoço foi ao restaurante costumeiro e forçou-se a comer. A comida não caiu bem. Estaria estragada? De volta ao escritório, tomou um sal de frutas, mas mesmo assim aquela sensação de peso no estômago, aquele enjoo, não passou. A tarde foi penosa e custou a passar. Sentiu-se indisposto, sonolento, sem ânimo.

Finalmente o expediente terminou. Mas o trânsito estava particularmente ruim naquela tarde. Levou mais de uma hora para conseguir chegar. A cabeça doía, o corpo pesava. Não sentia vontade de falar com ninguém. Queria ficar quieto em um canto.

Mas Lina não pensava assim. Havia ficado o dia inteiro às voltas com as crianças, principalmente o Júnior. O menino tinha um fôlego incrível. Não parava um instante. Ela precisava fazer o serviço de olho nele o dia inteiro. Subia nas

cadeiras, pendurava-se nas janelas, abria a cristaleira, vasculhava as gavetas, abria as torneiras do banheiro, bebia a água do cachorro. Só descansava quando ele estava dormindo. Ele estava com dois anos e ela sabia que teria pela frente pelo menos uns três anos até que pudesse ter paz.

Além disso, a pia da cozinha estava entupida de novo e ela precisara tirar água com uma caneca e jogar no vaso sanitário. Foi difícil segurar o Júnior no colo enquanto explicava ao filho do proprietário que o marido ainda não trouxera o dinheiro do aluguel e ele teria de voltar outro dia. O menino, acostumado a aproveitar para mexer em tudo enquanto a mãe estava ocupada na porta, esperneava no colo tentando escapar e Lina, tentando contê-lo sem deixar de dar atenção ao cobrador, suava por todos os poros.

Finalmente o rapaz se foi e ela, irritada, deu algumas palmadas no moleque, que abriu o berreiro. Enquanto isso, Nelsinho entrou reclamando que não podia fazer a lição porque o barulho era infernal. O Júnior gritava mais do que o rádio da cozinha, já ligado propositadamente em alto som, para ser ouvido onde quer que Lina estivesse.

Assim que Osório entrou em casa, ela foi logo avisando:

— Ainda bem que chegou. Não aguento mais o Júnior. Hoje ele exagerou. Vê se fica um pouco com ele para que eu possa terminar o jantar.

Mal-humorado, ele respondeu:

— Ainda não está pronto? Sabe que horas são? Já passa das oito. Estou cansado e quero descansar.

— O que queria que eu fizesse? Por que ainda não mandou consertar a pia? Você fica fora o dia inteiro e não imagina o que estou passando.

Não aguento mais! E o dinheiro do aluguel? O filho do seu Vicente já veio cobrar. Fiquei com a cara no chão por não poder pagar. Ele vai voltar amanhã. Você tem que deixar o dinheiro, não pode esquecer.

Ele tentou segurar a raiva e não respondeu. Se falasse seria para brigar. Ele estava cansado, não queria discutir. Desejava só um pouco de paz.

— Vai olhar o Júnior ou não? Não viu que ele está destruindo a agenda do telefone?

Osório, irritado, arrancou a agenda da mão do garoto, ameaçando-o.

— Pare de mexer em tudo! Se puser a mão em mais alguma coisa, vai apanhar!

O menino choramingou e foi atrás da mãe na cozinha.

— Osório, tire-o daqui. Está agarrado em minha saia e eu estou fritando os bifes. É perigoso.

Osório entrou na cozinha fuzilando o menino com os olhos. O garoto começou a chorar agarrando mais a saia da mãe:

— Papai ruim! Tem medo. Não *qué*...

Lina fulminou-o com o olhar:

— Viu o que fez com o menino? Ele é pequeno, não sabe ainda se comportar. Você fica fora o dia inteiro e, ao invés de dar carinho a seu filho, só sabe maltratá-lo. Nem parece pai, parece padrasto!

Essa foi a gota d'água. Osório não se conteve mais. O sangue subiu, seus olhos pareciam querer saltar das órbitas e ele gritou:

— Cala a boca, mulher! Não aguento mais você. Estou farto! Chega. Para mim não precisa fazer porcaria de jantar. Pode jogar tudo no lixo. Que raio de mulher que não tem competência para cuidar dos filhos! Estou cansado, trabalhei o dia todo

e, quando chego em casa, tenho de aturar suas reclamações? Chega! Vou sair e não sei se volto.

Sem esperar pela resposta, ele deu meia-volta e saiu batendo a porta da sala com força. Assustada, Lina desligou o fogo e pegou o filho no colo. As lágrimas corriam pelo seu rosto e ela sentia-se injustiçada. Esforçava-se para cuidar de tudo com capricho. As camisas do Osório estavam impecáveis na gaveta. Só porque atrasara um pouco o jantar, ele fizera todo aquele barulho. Ela não se conformava.

Foi até a sala e, com o coração apertado, viu que ele havia saído. Não gostava que ele saísse sozinho à noite. Homem na rua, de noite, boa coisa não ia fazer! O lugar dele era em casa, ao lado da família. Ela também não saía sem ele.

Osório havia dito que não sabia se ia voltar. Estaria dizendo a verdade? Pensava mesmo em abandoná-la? O que ela iria fazer com três crianças? Quando se casou, deixara o emprego porque ele não queria que ela trabalhasse fora.

— Mulher é para cuidar da casa e dos filhos quando tiver. Eu ganho o suficiente para manter a família!

Por que concordara com isso? Por que se casara para passar a vida trabalhando sem que seu esforço fosse reconhecido? E se ele não voltasse mesmo? O que seria dela e das crianças? Como sustentá-las?

Cristina apareceu dizendo:

— Mãe, *tô* com fome. A janta não *tá* pronta?

Lina engoliu a revolta, as lágrimas, tentou dar um tom normal à voz e respondeu:

— Chame seu irmão que vou fazer os pratos.

Quando eles desceram, ela já havia colocado a comida no prato para os dois na mesa da cozinha enquanto cuidava do Júnior para que comesse. Ele não queria que ela lhe desse a comida, mas brincava com a colher, derrubando metade no chão, sem se importar com o que ela dizia.

— O pai não vai jantar? — indagou Nelsinho.

— Ele saiu brabo! — comentou Cristina.

— Comam quietos e vão dormir. Estou cansada e quero acabar logo com a cozinha.

— Você não vai comer? — perguntou Cristina.

— Depois. Comam vocês.

As crianças acabaram e foram se deitar. Ela levou o Júnior, vestiu o pijama e colocou-o para dormir. Ficou ao lado da cama até que ele pegasse no sono. Depois desceu, guardou a comida. Não estava com fome. Enquanto lavava a louça dentro da bacia, por causa da pia entupida, pensava em sua vida com amargura.

Casara por amor. Nos tempos de namoro, Osório era gentil, educado, alegre, sorridente. Por que havia mudado tanto? Não era mais o mesmo. Vivia nervoso, sem paciência com as crianças. Ao entrar em casa, estava sempre com a cara amarrada. Como havia se enganado a respeito dele!

As lágrimas desciam pelas faces e ela continuava pensando na sua infelicidade. Quando

terminou, lavou-se, vestiu a camisola e foi para o quarto. Passava das onze e Osório ainda não havia chegado.

De coração apertado, ela não conseguia dormir. Aonde teria ido? Voltaria para casa? Angustiada, virava-se na cama. E se ele tivesse outra mulher? O marido da Aurora, depois que arrumou amante, ficou exigente, rabugento, reclamava de tudo. Ela podia fazer o que fosse que ele nunca ficava satisfeito. Claro, estava gostando da outra!

E se Osório tivesse outra? Levantou-se, acendeu a luz e olhou-se no espelho. Estava magra, fisionomia cansada. Também, com tanta desilusão, como conservar a disposição? Apagou a luz e deitou-se de novo.

"Se quer ser feliz, comece a pensar no bem."

Passava das duas quando Osório finalmente chegou. Pelo cheiro, ela notou que ele havia bebido. Tropeçou nos pés da cama e foi ao banheiro. Ele não era dado à bebida. E se ele começasse a beber? Talvez estivesse andando em más companhias! Algum amigo chegado a bares. Ela tinha horror a homem que ficava bebericando nos bares até altas horas. E se Osório acabasse se transformando em um deles?

Suspirou fundo. Por que se casara com ele, por quê? Poderia estar solteira, livre de preocupações, sem crianças para cuidar, dormindo até tarde, fazendo o que lhe desse vontade. Infelizmente era tarde. Não poderia voltar atrás. Teria que suportar sua cruz até o fim. Olhando Osório que, deitado ao seu lado, roncava alto profundamente adormecido, ela se virou para o lado tentando ignorar o cheiro de bebida que a enjoava e procurou dormir.

Na manhã seguinte, ele se levantou e não disse nada. Saiu sem tomar café. Ela, que já estava na cozinha dando café ao Júnior, ouviu quando ele saiu, batendo a porta sem se despedir. Era demais. Ele a tratava como se ela fosse a pior das mulheres.

A campainha da porta soou, ela foi abrir.

— Lina, estou precisando do número de telefone do tintureiro. Você tem?

— Tenho. Entre.

Foi até a agenda, escreveu o número em um papel e entregou-o à vizinha.

— Obrigada. Aconteceu alguma coisa? Você está com uma cara!

Lina respirou fundo e respondeu:

— Tem hora que dá vontade de sumir.

— Não diga isso. Você tem três filhos para criar!

— Tenho. E por causa disso tenho de suportar esse lixo de vida. Estou cansada de ser desvalorizada. Se eu pudesse voltar a ser solteira, nunca me casaria.

— Não deve ser tão amarga. Afinal, você tem uma família linda.

— Um marido mal-humorado e insatisfeito. Sabe o que ele fez ontem?

Ela contou tudo à outra que no final comentou:

— O Osório sempre foi um ótimo marido. Minha filha sempre diz para o meu genro que gostaria que ele fosse como seu marido.

— Ela diz isso porque não sabe como ele é dentro de casa. Com os outros ele continua sendo amável, delicado, atencioso. Mas em casa, comigo, está muito diferente.

A outra ficou pensativa durante alguns segundos e depois acrescentou:

— Conheço o Osório desde menino. Ele sempre foi cordato, educado, encantador. Se ele mudou, aí tem coisa!

— Que coisa? Alguma amante?

— Não. Ele não é dado a essas coisas. Vocês formam um casal bonito e feliz. Sabe como é a maldade de certas pessoas, a inveja... Ele pode estar sendo vítima de alguma macumba.

— Você acha?

— Que outra coisa poderia ser? O que me contou é típico de um caso de perturbação espiritual.

— Como assim?

— Ou fizeram algum trabalho contra ele, ou jogaram energias negativas e algum espírito perturbador está dominando ele. O que me contou não

condiz com a personalidade do Osório. Ele sempre foi calmo, educado, alegre. Só pode ser isso.

— Será?

— Só pode ser. Você também anda nervosa, inquieta, seus filhos endiabrados, ele entra em casa nervoso. É isso. Você precisa tirar essas energias de sua casa.

— Como se faz isso?

— Eu conheço um centro espírita e hoje à tarde está funcionando. Podemos ir até lá.

— As crianças estão na escola à tarde, mas e o Júnior?

— A Ana toma conta dele. Pode deixar que ela sabe como fazer isso.

Lina pensou um pouco e decidiu:

— É. Vamos, sim. Pensando bem, você tem razão. O Osório mudou muito mesmo.

Na sala simples e modesta, sentada ao lado da amiga, Lina esperava o momento de ser atendida. Seu coração batia forte quando foi convidada a passar para a outra sala onde a médium incorporada pelo seu guia espiritual ia atendê-la.

Lina entrou e sentou-se na cadeira que lhe foi indicada em frente a uma senhora de meia-idade, que a esperava de olhos fechados.

Quando se viu a sós com ela, a médium falou:

— Em que posso ajudá-la, minha filha?

O tom bondoso fez Lina sentir-se à vontade para desabafar. Contou tudo. Falou da sua desilusão com o casamento, com a vida, com o marido e até do cansaço de cuidar dos filhos. E finalizou:

— Meu marido não era assim. Eu também não. Estamos sendo vítimas de alguma entidade perversa?

A médium, que ouvira tudo sem interromper, respondeu:

— Vocês estão sendo vítimas do mal.

— Eu sabia! E quem está fazendo isso conosco?

— Vocês.

— Perdão. Não entendi. Como assim?

— Desde que entrou aqui, você só ficou do lado do mal. Não pronunciou uma palavra boa. Agindo assim, o que esperava?

— Mas minha vida está ruim, as coisas vão mal, meu marido não me compreende. Como poderia dizer que está tudo bem?

— Vamos ver. Você se casou por amor. Ama seu marido ainda?

— Claro.

— Você já entrou em uma enfermaria infantil? Lá, as crianças estão todas bem comportadas. Gostaria que seus filhos fossem assim?

— Deus me livre!

— Nesse caso, por que prefere pensar que seus filhos são difíceis de aturar? Eles não são amorosos?

— Muito.

— Você os quer muito bem?

— Eles são toda minha riqueza.

— Nesse caso, sua vida não está tão ruim como você afirma.

— É... olhando por esse lado...

— O problema seu é só esse. O lado que você olha.

Lina tentou justificar-se:

— É que às vezes as coisas ficam de um jeito que não dá para ter paciência. Sabe como é, pequenas coisas que irritam.

— Como uma pia entupida.

Lina empalideceu. Como ela sabia disso? A senhora prosseguiu:

— Não seria mais fácil resolver isso procurando alguém que a consertasse sem incomodar seu marido? Assim, não estaria mais se irritando com o problema.

— É que eu tenho as crianças...

— O que é que tem? Isso não a impede de sair para resolver as questões que a estão incomodando. Não deu jeito de vir aqui hoje? É melhor do que jogar sua raiva e seus problemas sobre seu marido.

— É. Tem razão. Quer dizer que não tem nenhum espírito desencarnado nos incomodando?

— Talvez tenha. Mas essa não é a causa do que está lhe acontecendo. Quem cultiva o mal atrai o mal. Essa é uma lei universal.

— Mas eu não cultivo o mal! Sou boa esposa, cumpro meus deveres. Não faço mal a ninguém.

— Em suas ações. Mas em seu coração acredita no mal. Seu pensamento vai sempre para o ruim. Para o negativo. Onde colocou o bem? Como quer atrair paz, alegria, felicidade, com atitudes erradas? Quem planta o mal colhe o mal. Quem pensa no mal, reclama, julga-se vítima, injustiçada, está reforçando o mal, ligando-se a ele, indo contra seu bem-estar e as coisas boas da vida. Creia, minha filha, a crença no mal é causa de todos os sofrimentos que afligem a humanidade. Se quer ser feliz, comece a pensar no bem. Sempre que tiver um pensamento ruim, não lhe dê força. Procure lembrar-se de alguma coisa boa. É você quem escolhe o tipo de vida que terá. São suas atitudes que atraem os fatos em sua vida. Converse com seu marido. Conte a ele minhas palavras. Façam um propósito de não dar importância ao mal. Marquem um encontro com o bem, acendam a luz do coração e deixem de pensar no mal. Tenho certeza de que assim todos os seus problemas estarão resolvidos.

— Basta isso?

— Sim. Agora você vai pensar na sua bondade. Em tudo de bom que deseja para sua família. Imagine que uma luz está acesa dentro do seu peito. Pense em seu marido e envolva-o com essa luz, abrace-o com carinho e diga-lhe o quanto o ama.

Lina obedeceu sentindo que seu peito se abria e um calor gostoso a invadia.

— Agora pense nas crianças. Coloque-as na luz do seu coração e abrace-as com amor. Depois, visualize sua casa cheia dessa luz. Faça isso pelo menos duas vezes ao dia. E, sempre que pensar algo desagradável, não dê importância. Procure ver o que há de bom, seja qual for a situação. A vida tem caminhos que você desconhece. Muitas vezes o que parece ser um mal é o que poderia acontecer de melhor. Não se esqueça disso. Agora vá em paz.

Lina saiu aliviada. As palavras dela lhe fizeram bem. Reconhecia que estava errada. Osório chegara em casa cansado, fisionomia abatida. Ela notara, mas não dera importância. Fora egoísta. Ele também tinha seus problemas.

Entrou em casa disposta a mudar. Na cozinha olhou a pia e imaginou que ela estava limpa, desentupida. Cuidou do jantar, deu banho no Júnior

e lembrou-se do seu Antero, marido da Inês. Ele era encanador e morava perto da esquina. Por que não pensara nele?

Foi até lá com o Júnior. Antero estava em casa e foi de boa vontade olhar a pia.

— Isso não é nada. Por sorte a bomba está em casa.

Saiu e voltou logo depois com uma mangueira e em poucos segundos a pia estava em ordem.

— Quanto é o serviço? — indagou Lina.

— Não é nada, não. Qualquer dia desses virei tomar um café com o Osório.

— Obrigada, seu Antero. Não sabe o favor que me fez.

Quando ele saiu, Lina sentiu uma gostosa sensação de autossuficiência. Ela resolvera sozinha aquele problema. Por que não fizera isso antes? É que sua mãe dizia que certos serviços eram só para homens e outros para mulheres.

"Que besteira!", pensou ela satisfeita.

Quando Osório chegou, o jantar já estava pronto e as crianças arrumadas. Até o Júnior estava mais calmo, entretido em recortar uma revista velha. Ele entrou um pouco envergonhado. Reconhecia ter exagerado.

Ninguém tocou no assunto da véspera. Lina achava que não seria bom voltar a falar no mal. Agora ela queria só pensar no bem. Nelsinho foi buscar os chinelos do pai e ele os calçou com prazer.

Depois do jantar, ele até ajudou-a a levar os pratos para a cozinha. Satisfeita com a disposição dele, ela, feliz, continuava a pensar no bem e na bondade, e a envolver a família na luz do seu coração.

Osório pegou o Juninho no colo enquanto lia o jornal, e o menino logo adormeceu. Quando ela terminou a louça do jantar, ele a esperava. As crianças estavam dormindo.

— Lina, desculpe a cena de ontem. Eu tive um dia ruim, estava muito descontrolado.

— Eu também. Mas hoje tive um encontro com o bem. E decidi que não quero nunca mais pensar no mal. Sinto tanto prazer em pensar no bem, em imaginar só coisas agradáveis, a enxergar só o lado bom de tudo, que não vou ser mais como era. Sabia que é isso que atrai a felicidade em nossas vidas?

— Você está certa. Ontem me senti tão infeliz, foi tão ruim que eu nunca mais quero sentir isso. Não sei o que você fez, mas tudo aqui ficou diferente, como era antigamente. Tudo aqui está tão agradável.

— Que bom! De hoje em diante, todos os nossos dias serão assim.

— Sabe de uma coisa? Recebi o dinheiro para o aluguel. Vou deixá-lo na gaveta da cômoda. Amanhã virão receber.

— Ótimo. Falei com seu Antero e ele desentupiu a pia. Está uma beleza. Foi muito atencioso...

Aquela noite Osório mostrou-se apaixonado e, quando depois de tudo ela o viu adormecido abraçado a ela, lembrou-se da sábia orientação daquele espírito amigo e seus lábios murmuraram emocionada prece de gratidão.

O encosto

Gustavo Barroso

Em um tempo remoto, havia numa pequena cidade do interior de São Paulo um casal de lavradores que se interessava em construir uma vida digna dentro de suas possibilidades. Desde o primeiro dia em que se encontraram, houve o amor e logo depois de curto namoro estavam casados, abençoados pelo padre, com papel passado e tudo.

Ronaldo conseguiu arrendar um alqueire de terra boa, construiu nele um rancho de sapê, com carinho e dedicação, ajudado de perto por Angélica, onde foram residir depois da cerimônia simples do casamento.

Sonhos, projetos, eles tinham vários. Lavrar a terra para retirar dela o sustento e também comercializar o que produzissem. Queriam progredir, construir uma casa melhor para os filhos que haviam de vir.

Seu Rogério era o dono das terras a quem Ronaldo devia pagar o arrendamento que contratara em espécie.

Dinheiro era difícil e ele fez tudo para conseguir negociar o pagamento em milho e feijão, que era o que ele pretendia plantar naquelas terras.

O jovem casal, cheio de entusiasmo e planos para o futuro, dedicou-se de corpo e alma ao trabalho de sol a sol e logo os grãos começaram a brotar na terra e se transformar em plantas viçosas e produtivas.

Tudo ia bem, o primeiro filho já havia nascido, forte e bonito. Angélica levantava cedo, cuidava das galinhas, do porco que estavam engordando para o fim do ano, cuidava do filho, que felizmente era tranquilo e dormia o tempo todo.

"A vida cuida de ensinar a todos nós como viver melhor."

A vida deles decorria tranquila, até que uma noite o Ronaldo adormeceu e sonhou.

Estava em um lugar muito frio e cinzento e ele imediatamente sentiu-se angustiado. Parecia-lhe estar sendo perseguido. Sabia que havia alguém desejando pegá-lo, mas não conseguia ver quem. Fazia tremendos esforços para fugir sem conseguir. A cada momento sentia a angústia aumentar. Queria gritar, pedir ajuda, porém não conseguia. Até que por fim Angélica o sacudiu e ele acordou aliviado.

— Você estava gemendo — explicou ela. — Achei que devia ser um pesadelo.

— Era mesmo. Nem sei explicar o que foi. Alguém me perseguia e eu não conseguia escapar.

— Quem era?

— Não sei.

A partir daquela noite, Ronaldo começou a sonhar sempre o mesmo sonho. Quando tudo começava, ele até sabia o que ia acontecer. Por causa disso, começou a ter medo de dormir.

— Isso é só um pesadelo — confortava-o Angélica. — Você está impressionado.

— Não é isso, não. Acho que nessa história tem alma do outro mundo.

— Cruz-credo. Nem diga isso!

— Pois tem, sim. Tem um perseguidor que todas as noites vem atrás de mim.

— É impressão sua. Quem haverá de perseguir você em sonho?

— Não sei. Ainda não consegui ver. Mas que tem, tem. E ninguém me tira da cabeça que é alma do outro mundo.

— Nesse caso tem de ir se benzer no seu vigário.

— Tem razão. Domingo cedo vamos falar com ele.

O padre José ouviu a história do Ronaldo e, quando ele terminou, asseverou:

— Você está impressionado. Alma do outro mundo não tem permissão para vir perseguir as pessoas no mundo. Isso é crendice do povo. Reze, meu filho, para Deus tirar isso de sua cabeça e tudo voltará ao normal.

Ronaldo fez tudo como o padre falou, mas o problema continuou. Angélica conversou com sua mãe dizendo angustiada:

— Ronaldo não é mais o mesmo. Não trabalha como antes. Não dorme de noite e depois fica sem coragem de levantar no dia seguinte. Ontem, quando eu fui levar o almoço na roça, ele estava dormindo embaixo da mangueira. Isso está me

preocupando. Não pode continuar. Quando vier a colheita, não vamos ter com que pagar seu Rogério nem o que comer. Ele não está aguando direito, e a plantação está secando.

— Olha, minha filha, isso não é caso para o padre José, não. Isso é caso para o seu João.

— Ele é mandingueiro, mãe.

— Ora essa! E se o que o Ronaldo tem for mandinga? Tem muita gente com inveja da felicidade de vocês. Ainda outro dia a comadre Antônia reclamou dizendo que a Mariinha não teve a sua sorte com o casamento. O marido dela é preguiçoso e não sai da venda do seu Manuel tomando cerveja e bestando.

— Não acho que seja inveja, mãe. Nós não temos nada para os outros terem inveja. Somos pobres e lutamos com a vida.

— Como você é ingênua! Claro que tem gente invejosa. Se eu fosse você, tratava de levar o Ronaldo na casa do seu João antes que tudo fique pior.

Angélica saiu de lá pensativa. As palavras da mãe não lhe saíam da cabeça.

Chegando em casa tentou falar com Ronaldo, porém ele não quis ouvir.

— Inveja? Que bobagem! Quem poderia invejar vida de pobre como nós?

— Mãe acha que seu caso é para seu João, que ele pode dar jeito.

— Não quero me meter com esse curandeiro. Seu vigário disse que esse negócio de espíritos é muito perigoso.

— Não foi você quem falou que estava sendo perseguido por uma alma do outro mundo? Então. Esse é um caso para ele.

Ronaldo não concordou. Ele não desejava se meter com essa coisa de espiritismo.

Contudo, com o correr dos dias, ele foi ficando pior. Como tinha medo de dormir à noite, e quando dormia durante o dia não era incomodado pelo pesadelo, ele trocou o dia pela noite. Como não podia trabalhar à noite na plantação, o trabalho foi ficando sem fazer, o mato começou a crescer e os recursos a escassearem.

Uma tarde Angélica não aguentou mais e foi procurar seu João. O curador ouviu toda a história e ao final respondeu:

— Manda ele *vim*. Se ele não quiser, não posso fazer nada. Ele é quem está passando pelo problema. Ele é que tem que *vim*. Fala isso para ele.

Angélica voltou para casa desanimada. Ele não ia querer ir. Contudo, olhando o estado calamitoso da plantação, tomou uma resolução. Foi até onde ele estava dormindo na rede e o sacudiu com força.

— Acorda, Naldo. Vamos embora.

— Hein?! O quê?! Vamos aonde? — resmungou ele, ainda atordoado de sono.

— À casa do seu João. Chega de ficar dormindo desse jeito em pleno dia. Vamos acabar com isso é já.

Ele esboçou um gesto de contrariedade, mas o tom dela não admitia resistência. Ela, que sempre fora delicada e falava baixinho, olhava-o com olhos indignados, ar decidido, atitude firme.

Ele obedeceu. Nunca a vira daquele jeito. Na casa do João, enquanto esperavam, ele sentia-se nervoso e de vez em quando fazia menção de sair. Entretanto, Angélica segurava fortemente o seu braço e o olhava com ar tão decidido que ele não se atrevia.

Seu João entrou na sala e parou na frente dele. Era um mulato forte, traços rudes, gestos suaves, descalço, trajando roupas simples dos homens do campo, mas seus olhos eram brilhantes e, quando se fixaram em Ronaldo, ele estremeceu e levantou-se fazendo menção de sair.

João colocou as mãos nos ombros dele obrigando-o a sentar-se. Depois ordenou com voz firme:

— Você vai deixar o Ronaldo em paz.

Ronaldo sacudiu a cabeça negativamente e seu João continuou:

— Precisa entender que agora não é seu tempo. Você deve ir embora. Ele precisa cuidar da família e preparar tudo para os que virão.

Ronaldo estremeceu e retrucou com voz entrecortada:

— Não vou fazer isso. Ele conseguiu e eu não. Por que essa proteção? Em que ele é melhor do que eu?

— Ninguém é melhor do que ninguém. Acontece que cada pessoa tem um destino a cumprir. Ele precisou nascer com essa missão. Você precisa ficar aí ainda mais um tempo.

— Não é justo. Ela ainda está do lado dele e não posso permitir. É comigo que ela deveria estar e não com ele.

— Você está errado. O lugar dela é ao lado dele.

— Ela estava comigo.

— Você os separou. Não era isso que ela queria. Há muito tempo eles se amam. Agora a vida resolveu que eles podem ficar juntos e você precisa conformar-se.

— Não quero. Não vou permitir.

— Terá que aceitar. Ela não está no seu destino. Seu caminho é outro. Por mais que tente, não conseguirá separá-los. Só vai arranjar mais sofrimento para todos vocês e no fim terá que se conformar.

"Ninguém é melhor do que ninguém. Acontece que cada pessoa tem um destino a cumprir."

Ronaldo começou a soluçar e Angélica os olhava sem entender do que estavam falando.

— Você deve ir embora para sempre, cuidar da sua vida.

— É difícil fazer isso. Ele se escondeu nesse corpo, mudou de vida e custei a encontrá-lo. Ele não merece viver bem, roubou nosso dinheiro, nos enganou, não cumpriu nada do que nos prometeu. Não pode ficar impune.

— Isso foi há muito tempo. Ele se arrependeu. Está trabalhando honestamente, tirando da terra seu sustento e faz mais. Vai receber todos vocês como filhos e sustentá-los pelo resto da vida.

— Não quero ser filho dele.

— É uma escolha sua. Mas ele está disposto a aceitá-lo. Depois Angélica será sua mãe. Não deseja estar perto dela?

— É o que eu mais quero no mundo. Mas como posso ficar como filho sentindo essa paixão no coração? Como conviver com os dois vendo que se amam e eu a perdi? Vai ser um sofrimento que não poderei suportar.

— Pense no que eu lhe disse. Saiba que de hoje em diante você não poderá ficar mais ao lado deles. Será afastado por ordem dos espíritos superiores que intercederam por eles e vão ajudá-los nesse trabalho de regeneração. Se não quiser nascer neste lar, não lhe restará outro caminho a não ser separar-se deles para sempre.

— Não. Isso, não. Eu não vou suportar.

— Você vai embora agora com nosso guia espiritual. Será levado para um lugar onde receberá ajuda e terá tempo de refletir.

Ronaldo estremeceu e calou-se. Seu João colocou as mãos sobre a cabeça dele e orou em silêncio. Depois fez o mesmo sobre a cabeça de Angélica.

— Agora podem ir. Quero ver vocês de novo daqui a três dias.

Ronaldo olhou-o hesitante. Angélica perguntou:

— O que aconteceu aqui, seu João? Por que o Naldo disse aquelas coisas como se fosse outra pessoa?

— Porque naquele momento quem estava falando através dele era mesmo outra pessoa. Eu estava conversando com o espírito que o estava incomodando.

Ronaldo não se conteve:

— Então tinha mesmo alma do outro mundo me atacando? Eu não disse?

— É. Você disse. E agora, será que ela foi embora mesmo?

— Vocês não conhecem nada sobre espiritualidade.

— Não mesmo. Seu vigário explicou que as almas não têm permissão para vir incomodar os vivos, mas parece que se enganou — tornou Ronaldo.

— Ele também não sabe tudo. Mesmo que conheça um pouco, não pode falar nisso. Tem que ensinar o que a Igreja manda.

— Foi por isso que a mãe mandou vir falar com o senhor — emendou Angélica.

— Eu costumo conversar com os espíritos.

— Sempre tive medo — admitiu Ronaldo. — O senhor fala nisso com uma calma! Não sente medo?

Seu João riu mostrando uma fileira de dentes amarelados pelo fumo.

— Eles são pessoas que viveram neste mundo. Agora estão morando em outro lugar de onde vêm visitar e conversar com os vivos.

— Então quem morre vai viver em outro lugar? — perguntou Ronaldo.

— Vai. Deixa o corpo de carne, mas fica com o outro corpo que ele já tinha antes de nascer, do qual nunca se separa. Esse corpo é que vai fazer com que ele possa nascer de novo no mundo.

— Quer dizer que quem morreu pode voltar a nascer aqui? — indagou Angélica, admirada.

— Pode. Vocês têm um filho e é bom saber que ele já existia antes de nascer, que já viveu neste mundo mais de uma vez e voltou para aprender mais. A vida cuida de ensinar a todos nós como viver melhor.

— Por isso eles voltam a viver aqui? — fez Ronaldo admirado.

— Isso mesmo.

— Quem era esse que estava me perseguindo?

— Era um amigo seu de outras vidas.

— Se fosse meu amigo, não me aparecia daquele jeito.

— Ele estava com raiva de você por causa de coisas que aconteceram em suas vidas passadas. Angélica foi casada com ele.

Ronaldo arregalou os olhos:

— Casada com ele? Ela foi casada com outro?

— Foi. E você também casou-se com outra. Mas vocês se amam de verdade e pediram a Deus para ficarem juntos. Vocês foram muito cultos e ricos, mas abusaram do poder. Antes de nascer aqui, arrependidos, pediram a Deus a chance de receber como filhos aqueles a quem prejudicaram e educá-los na honestidade, no trabalho. O lar de vocês será abençoado por muitos filhos.

— É difícil acreditar que tudo isso seja verdade — disse Ronaldo, pensativo.

Seu João riu e respondeu:

— Mas é. Você vai descobrir.

— Daqui para a frente o Ronaldo vai voltar a ser como antes? — perguntou Angélica.

— Bom, esse que estava perturbando não vai voltar mais. No entanto, agora a porta foi aberta e outros vão querer se encostar nele. Por isso acho bom que venham aqui uma vez por semana para que eu possa ensinar como ficar bem. Então, Ronaldo, como se sente?

— Leve. Parece que saiu um peso enorme de dentro de mim. Estou muito bem-disposto.

— Graças a Deus, meu filho. Não se esqueça de agradecer a Deus.

— E ao senhor, seu João. Nunca vamos esquecer o bem que nos fez.

— Quanto é pela consulta? — tornou Ronaldo.

— Não é nada, não. Quando se lembrar de mim, reze para Deus me ajudar.

— Deus lhe pague, seu João — finalizou Ronaldo.

— Amém — ajuntou Angélica.

A partir daquele dia, Ronaldo mudou. Nunca mais teve o pesadelo, dormia bem, levantava-se cedo e em pouco tempo a plantação voltou a ficar verde. Logo os grãos brotaram e, quando chegou o tempo, o casal pôde pagar a seu Rogério o que lhe era devido.

Continuaram visitando seu João uma vez por semana, tornaram-se amigos e, como ele havia previsto, os filhos começaram a chegar, um a um, enchendo a casa de alegria.

Em meio a muitos amigos do casal, quando alguém contava casos de assombração, tentando amedrontar os presentes, Ronaldo interferia esclarecendo que as almas do outro mundo eram apenas pessoas sofredoras que tinham vivido aqui e estavam precisando de orações.

Se alguém duvidava, ele contava a própria história a fim de que soubessem a verdade. Ele fazia isso com tal veemência e sinceridade que depois ninguém mais se atrevia a duvidar.

Planejando o futuro

Geraldo Medeiros

Quer coisa mais insensata do que planejar o futuro? Em que você se baseia? Naturalmente nas coisas que você desejaria que acontecessem. Mas de onde provém o desejo senão das fontes da insatisfação e das frustrações colhidas ao longo da vida?

São questões de um ousado pensador que um dia viveu na Terra e saiu de lá da mesma maneira que entrou, isto é, sem aprender nada, ou pelo menos tudo aquilo que pensou que aprenderia com uma vida regulada e pequena que se vive no mundo.

Ainda hoje, tantos anos decorridos de meu regresso ao astral, que é como vocês denominam os mundos onde nós vivemos e para onde vocês deverão vir depois da morte do corpo, uso os termos que usava na Terra. Embora aqui os nomes sejam diferentes, o conceito é o mesmo e, portanto, não vejo como sair da nomenclatura que vocês conhecem.

Claro que, com o passar do tempo, o vocabulário de vocês mudou muito e, para conversar com vocês, preciso me atualizar, do contrário não conseguirei me comunicar, mas o engraçado é que as coisas aqui são tão diferentes que eu, esquecido das coisas que vivenciava quando estava aí, precisei me utilizar de um dicionário, coisa que, aliás, é fácil encontrar em nossas bibliotecas.

Bom, voltando ao assunto, depois de tantos anos de regresso ao astral, fui informado que deveria voltar à velha forma, isto é, renascer na Terra prisioneiro de um corpo de carne.

Fiquei muito assustado. Desejamos sempre acrescentar, crescer, evoluir e, pela experiência anterior, eu não havia aproveitado muito minha estadia aí. Dessa forma, fiquei muito contrariado. A perspectiva de esquecer tudo, sujeitar-me à obediência durante anos, estar tão limitado a ponto de não saber nada sobre o passado não era nada agradável.

Nessa hora, há sempre os que, a pretexto de nos ajudar, tentam nos convencer de que o melhor é mesmo obedecer sem questionar. Mas eu não concordo. Argumentar era um direito meu e por isso pedi uma audiência ao nosso governador.

Não é assim que vocês chamam o mandachuva? Embora nossa sociedade seja diferente da de vocês, a estrutura básica é quase a mesma. Por uma questão de organização e de ordem, temos um chefe. Estava difícil, mas consegui uma audiência, quando tentei convencê-lo da inutilidade de dar um passo atrás, como eu chamava minha nova reencarnação na Terra.

"Riqueza é bem. É ter tudo que precisa para ser feliz."

Mas chefe é chefe. Eles sempre sabem mais do que nós, ou pelo menos dão-se ares de mistério. Sem explicar muitas coisas, decidem o que é melhor e, como eles têm poder e não há como fazer diferente do que eles determinam, o remédio é acatar, mesmo a contragosto.

Afinal, concordei. Que remédio! Aí começou minha preparação. Meu terapeuta — não é esse o nome moderno? Pensaram que eu não sabia? — disse-me que a primeira coisa a fazer era planejar minha vida na Terra.

— É como uma viagem — comparou ele.

— Não é bem assim — argumentei. — Quando vamos viajar, planejamos conforme nossas possibilidades, isto é, queremos tudo do bom e do melhor, mas a realização vai depender muito da nossa situação financeira. Quando somos pobres, não vai dar para pagar um hotel cinco estrelas, nem frequentar lugares de luxo.

— Você é pobre?

— Se eu fosse rico, não precisaria voltar à Terra.

— Ainda bem que sabe disso.

Quando falei em riqueza, não estava me referindo a dinheiro. Vocês no mundo têm um conceito muito errado de riqueza. Pensam que ser rico é ter muito dinheiro, fazer uma grande casa, encher de bugigangas, muitas das quais não têm nem tempo de usar, sair nas revistas da moda, exibir-se para todo mundo.

Não dá para entender um conceito tão louco como esse. Riqueza é bem. É ter tudo que precisa para ser feliz. É poder dar quando quer, é não precisar de nada nem de ninguém, é viver na luz, é ter sabedoria, serenidade. É saber dialogar com a vida, ler suas mensagens e viver utilizando todos os recursos que a natureza dá, esteja onde você estiver!

Se eu fosse rico, se tivesse tudo isso, não precisaria mais renascer na Terra. Estaria cooperando com os mestres universais, feliz e realizado. Mas eu ainda não sou assim. Tenho meus altos e baixos, vou da euforia à depressão, não sei canalizar minha raiva para me dar forças nem deixar de me incomodar com a maldade alheia. O que fazer? É o velho sonho de querer consertar o mundo, o que significa cultivar uma grande ilusão.

No fundo no fundo, sinto que é por causa disso que preciso descer ao mundo. Meu terapeuta me acenou com as vantagens da volta, quando eu, depois de ficar uns tempos na Terra, regressaria mais maduro, mais preparado para viver melhor.

O problema é que, embora eles tenham boa intenção — e eu até acredito que vão me dar muitas oportunidades para progredir —, eu não confio em mim. Quem me garante que uma vez no mundo eu não mergulhe de novo no comodismo tal qual fiz na última vez e torne todo esse esforço inútil?

— Não seja pessimista! Você sabe que o pensamento atrai.

— É que estou com medo!

— Você terá todo o nosso apoio durante o tempo que estiver lá.

— De que vai me adiantar se eu não vou vê-los nem saber que estão me ajudando?

— Não seja resistente. O que tem a fazer é planejar bem e tenho certeza de que sua estadia vai ser um sucesso.

— Planejar? Posso? O que eu idealizar vai acontecer?

— Vai.

— Sou livre para programar? Tem certeza?

— Tenho. Tudo quanto você viveu até hoje, as pessoas com as quais se relacionou, as experiências que atraiu, foi programado por você.

— Nunca programei nada.

— Engana-se. Suas crenças e atitudes é que determinam os fatos em sua vida. Sempre foi e sempre será assim.

— É difícil acreditar. Quer dizer que, se eu houvesse pensado diferente, minha vida teria sido outra?

— Certamente. Ainda não se convenceu de que você é o único responsável pelo que lhe acontece?

Minha cabeça deu um nó. Como podia ser? Eu sempre quis o melhor, sempre tive boa intenção, mas não foi isso que tive. Meu relacionamento familiar não foi satisfatório, minha mulher foi ingrata e maldosa, meus filhos não me deram as alegrias que esperava, meus negócios não me realizaram profissionalmente. Ainda sinto as mágoas e as frustrações desse envolvimento. Risquei o amor de minha vida. Chega de me aborrecer. Mas também, a solidão não basta e há momentos em que sinto vontade de amar de novo. Claro que controlo. Não vou passar por tudo aquilo outra vez.

— Você está dizendo, mas custo a crer. Sempre acreditei no amor e perdi, na bondade e tive ingratidão, estudei, trabalhei, mas não me realizei porque não produzi nada útil que me desse satisfação.

— Se você houvesse mesmo acreditado no amor, teria obtido amor; se houvesse agido com bondade, teria atraído amizade; se valorizasse o trabalho, teria se realizado. Você pensou ter esses sentimentos, mas suas atitudes eram opostas. Chamava o egoísmo de amor, a pieguice de bondade, o trabalho de meio de vida. A vida, meu caro, responde de acordo com o que você dá. Pensar que é e que está fazendo só serve para mascarar a verdade.

Fiquei arrasado. Como pode? Em poucas palavras, ele destruíra todas as minhas ilusões. Eu me vi incapaz. Não sabia amar de outra forma. Era ciumento e manipulador. Mulher minha tinha de fazer tudo do meu jeito! Naquele instante entendi: isso era egoísmo!

"A vida responde de acordo com o que você dá."

E a bondade? Eu dava muitas esmolas. Nenhum pobre saía da minha porta sem levar alguma coisa. Sempre tive pena das pessoas. Isso não era ser bondoso?

— Está certo que no amor fui egoísta, mas, quanto à bondade, você está enganado. Sempre tive muita pena das pessoas sofredoras. Nunca neguei uma esmola!

— Ter pena não é bondade. É julgar que a pessoa é incapaz. É pensar que você é melhor do que ela. Nunca percebeu isso? A esmola pode satisfazer sua vaidade, mas raramente ajuda.

— Então, o que é ajudar?

— É levantar a pessoa e fazê-la perceber que ela é capaz. É fazê-la descobrir seu lado bom, é motivá-la a buscar algo melhor.

Não é que ele estava certo? A esta altura eu não me animava a discordar de mais nada. Por isso perguntei com humildade:

— E o trabalho? É errado encará-lo como um meio de vida?

— Não. Ele é um meio de vida. Mas não é apenas isso. É através do trabalho que você descobre as leis da natureza, desenvolve a criatividade, aprende a relacionar-se com os valores e com as pessoas. Ninguém chega à sabedoria sem haver valorizado o trabalho.

Fiquei silencioso. Como eu poderia obter sucesso em minha nova reencarnação se ainda desconhecia tantas coisas? Vendo meu abatimento, ele colocou a mão em meu ombro, ponderando:

— Aconselho-o a meditar sobre tudo isso. Procure ouvir seus sentimentos, preste atenção aos seus pensamentos, seja verdadeiro. Recorde sua última passagem na Terra e estude seu comportamento. Depois volte a me procurar.

Saí dali entristecido, mas ao mesmo tempo decidido a conhecer a verdade. Estava cansado. Não queria voltar à Terra e ficar novamente dando voltas sem sair do lugar.

Fui para um lugar sossegado, isolei-me para pensar. Revi toda minha vida na Terra com atenção e percebi coisas que nunca havia notado. Depois disso, eu queria saber mais. Quando não consegui ver mais nada, procurei meu terapeuta. Contei-lhe minhas descobertas como quem havia vencido uma batalha.

Ele ouviu tudo e ao final recomendou:

— Agora que você sabe quais foram seus pontos fracos, já pode programar sua próxima reencarnação.

— Eu?!

— Sim. Você vai escolher situações em que possa vivenciar os valores que deseja consolidar. Quando tiver seu projeto, volte aqui. Vamos submetê-lo à apreciação dos especialistas para que possam revê-lo e acrescentar o que julgarem oportuno.

É por isso que estou planejando o futuro. Não é uma loucura? Vocês aí no mundo acham que vou escolher uma vida de facilidades? Cheia de dinheiro e de conforto? Ainda não sei. Estou mais inclinado a optar pelo esforço próprio. Uma vida com alguns recursos para custear os estudos. O resto, acho que vou poder conquistar.

Creio que me empolguei. Isto é como uma aventura. Uma soberba e louca aventura em que podemos perder ou ganhar. Mas eu sei que vou ganhar. Estou disposto a vencer este desafio. Desta vez não vou fracassar. Também, depois de tanta ajuda, quem se atreveria a duvidar?

Obrigado por haver me ouvido. Deixo um abraço muito carinhoso.

O recesso

Marcos Vinícius

Olavo caminhava nervoso de um lado para o outro respirando com dificuldade. Sua cabeça pesava, seu corpo agitado não conseguia parar.

Como resolver seu drama? Como perdoar a traição depois de ter dado tudo que podia?

Nunca imaginou que Norma pudesse tripudiar sobre seu amor. Dera-lhe tudo!

Não. Aquilo ele não podia perdoar! Eles tinham que pagar pelo mal que lhe causaram.

Abriu a gaveta, procurou febrilmente o revólver e segurou-o com força. Naquele momento ela certamente estava lá com o outro, entregue a seu amor. Um amor que jurava ser só para ele.

Com mãos trêmulas procurou no bolso a carta comprometedora e leu:

> *Sua esposa, neste momento, está nos braços do Alberto. Se for à casa dele agora, irá encontrá-los. Um amigo.*

Seu amigo de tantos anos também o traíra. Fora traído duas vezes.

Decidido, abriu o revólver, colocou as balas e saiu disposto a acabar com aquele tormento.

Abriu a garagem, entrou no carro e foi saindo devagar, mas foi surpreendido por dois desconhecidos que entraram no carro apontando uma arma e ordenando:

— É um assalto. Vá dirigindo devagar.

Assustado, Olavo obedeceu em silêncio. Sentindo-se ameaçado, ele esqueceu completamente seus pensamentos de momentos antes.

Um deles, arma apontada em sua cabeça, mandou parar o carro e, enquanto um deles assumia a direção, o outro empurrou Olavo para o banco de trás, tirou uma corda de sua mochila, amarrou seus pés e suas mãos. Depois o amordaçou.

Indiferente ao prisioneiro, os dois conversavam uma forma de acabar com ele. Olavo suava frio, apavorado.

Eles acharam o revólver que ele pusera no bolso e divertiam-se ameaçando-o ainda mais.

Rodaram com ele por lugares ermos, enquanto Olavo, tenso, angustiado, sem ter como escapar, temia que a qualquer momento eles pudessem acabar com sua vida.

O terror era tanto que Olavo, atento ao menor gesto deles, perdeu a noção do tempo.

De repente ouviu os dois praguejarem. Duas viaturas da polícia surgiram, eles aceleraram e um começou a atirar nos policiais. Nessa hora Olavo pensou ter chegado seu fim. Suava, tremia, sentia o estômago enjoado.

Um deles foi ferido, o outro parou o carro e se renderam.

Os policiais os prenderam e libertaram Olavo, que estava em estado de choque.

Na delegacia, Olavo, questionado quanto ao porte de seu revólver, respondeu que o possuía apenas para proteger-se.

O dia estava amanhecendo quando Olavo deixou a delegacia e foi para casa. Só então, ao colocar a mão no bolso, encontrou a carta fatal e lembrou-se de tudo.

Mas a raiva havia passado. Sentia que sua vida era mais preciosa do que o amor de uma mulher falsa, que não merecia seu afeto, e um amigo traiçoeiro.

Respirou fundo e decidiu que iria esquecer o assunto e recomeçar buscando relacionar-se com pessoas mais sinceras.

Sentiu-se aliviado e sorriu ao lembrar-se da frase que disse ao delegado antes de deixar a delegacia:

— Podem ficar com a arma. Eu não a quero mais. Sou um homem de paz.

Bem-disposto, tomou um banho, deitou-se e dormiu tranquilamente.

Conversando com Deus

Paulo Setúbal

Maria chegou a sua casa irritada. Não aguentava mais. Sua vida estava um inferno. Nada dava certo. Sempre procurou cumprir todos os seus deveres tanto no emprego quanto em casa, obedecendo aos pais, suportando o mau gênio dos patrões, engolindo as contrariedades, mantendo os padrões de honestidade e respeito com os quais fora educada.

Entretanto, apesar disso, por mais que fizesse, sempre sobrava o pior para ela. Se era convidada para uma festa, a costureira errava o vestido, o cabelo não ficava bom, quando não era isso, aparecia um problema de última hora, e ela precisava ficar em casa remoendo a frustração.

Quando se interessava por alguém e tudo indicava que estava sendo correspondida, de repente aparecia outra e lhe roubava o namorado, ou ele era transferido de emprego e se mudava.

— Você precisa ser paciente! — recomendava o padre quando ia à igreja confessar e pedir conselho. — Em vez de reclamar, deveria agradecer a Deus! Ele está provando sua fé. Se continuar assim, quando morrer não vai ganhar o céu.

Ela saía resignada. Afinal, a conquista do paraíso deveria ser mesmo difícil. Era preciso renúncia e sacrifício. Ela era pessoa religiosa.

Quando a situação ficava muito complicada, ela entrava em depressão, não queria sair de casa nos fins de semana, nem conversar com ninguém, a mãe se queixava:

— Que ingrata você é! Não valoriza o que tem! Tem gente que está doente, sofrendo dores, sem ter o que comer, enquanto para você nada falta. O que quer mais? Tem uma vida laboriosa, honesta. Pare com isso e tente ajudar os que sofrem de verdade.

De tanto a mãe falar, ela foi inscrever-se como voluntária da assistência social da paróquia. Aos domingos passou a ir visitar os pobres levando alguns alimentos e tentando confortá-los.

Apesar de não gostar do cheiro, da sujeira das favelas, fazia das tripas coração e tentava ser amável. E ela pensava: "Não podia sentir esse tipo de repulsa. Eles eram os párias da sociedade, não haviam tido as oportunidades que ela tivera de nascer em um lar bem formado. Era seu dever esclarecê-los, ensinar noções de higiene, ajudá-los e encontrar um caminho melhor".

"Se deseja ter paz, ser feliz, precisa tomar posse do seu espaço."

Assim, depois de trabalhar a semana inteira esforçando-se para suportar os problemas do dia a dia como podia, socorrer seus irmãos que só lhe contavam problemas, pediam dinheiro emprestado, e nunca devolviam, ajudar a mãe nos serviços domésticos, aos domingos ia com os voluntários visitar os favelados, sustendo a respiração ao entrar em um barraco mais sujo, para não demonstrar seu desagrado com o cheiro característico do lugar.

Ela fazia tudo para melhorar sua vida, que mesmo assim ia de mal a pior. Sentia-se esquecida, abandonada. As coisas boas passavam longe e ela estava ficando mais cansada e desiludida. Emagrecera e irritava-se com facilidade.

Por causa disso foi chamada pelo chefe, que foi taxativo:

— Tenho recebido muitas queixas de você ultimamente. Por qualquer coisa você chora, treme, fica insegura, vai fechar-se no banheiro. Assim não pode continuar. Isto aqui é uma empresa, não um consultório sentimental. Procure um médico, vá tratar-se, faça alguma coisa. Senão, serei forçado a despedi-la.

Ouvindo isso, mesmo tentando controlar-se, Maria ficou trêmula e as lágrimas começaram a sair. Ele se irritou:

— Vá embora. Saia daqui. Não gosto de gente mole.

Uma hora depois, foi chamada na seção de pessoal e foi demitida. Aquela era a injustiça maior. Durante três anos ela dera tudo de si nesse emprego, chegando sempre no horário, fazendo tudo o que lhe mandavam. O que mais doía era a atitude dos colegas. Haviam se queixado dela! Que horror! Ela sempre fora educada e atenciosa com todos, emprestara dinheiro, alguns ainda lhe deviam, fizera favores.

Ao contar para a mãe que havia sido despedida, esperava que ela a confortasse, mas foi o contrário:

— O que você fez? Esse dinheiro vai nos fazer falta! Não há jeito de falar com o doutor Horácio e pedir para ele voltar atrás?

Ela foi para o quarto segurando a raiva e o rancor. De que adiantaria conversar com ele? Olhou sobre sua cama o quadro do Coração de Jesus e não se conteve:

— O que está olhando? Você que tem poder, como permitiu que fizessem tanta injustiça comigo? Tenho feito tudo quanto o padre falou que Você ensinou, o que minha mãe, meu pai, meus patrões mandaram. O que mais quer? Ainda não está satisfeito? Pois saiba que estou cansada de ser boazinha, de esperar por esse céu que nem sei se um dia virá, de fazer tudo como Você quer.

"Deus jamais castiga."

Ao dizer isso, Maria começou a jogar os objetos no chão, rasgar suas roupas, quebrar tudo. Sua mãe, apavorada, chamou os vizinhos e tentaram dominá-la. Ela parecia estar endemoninhada. Sua força havia duplicado e estava difícil segurá-la.

O médico compareceu, deu-lhe um calmante forte, e Maria finalmente adormeceu. Preocupada, a mãe contou ao médico:

— Não sei o que deu nela. Sempre foi uma menina doce, bondosa, cordata, obediente.

O médico cogitou crise nervosa, problemas emocionais. A vizinha interrompeu logo:

— Isso é coisa de obsessão! Tem que levá-la ao centro espírita. Ela ficou tomada de um espírito ruim.

No dia seguinte, quando passou o efeito do remédio, a mãe a levou ao centro espírita. Ela estava alheia a tudo e a todos, olhos inexpressivos, atitude apalermada. Feita uma consulta espiritual, a resposta veio:

— Precisa de um tratamento espiritual.

— Ela está obsedada por espíritos? Minha vizinha entende e disse isso — questionou a mãe preocupada.

— Ela vai melhorar com o tratamento — respondeu o atendente sem dar mais detalhes.

A mãe queria saber mais, porém foi-lhe dado um papel com os dias em que ela queria levar a filha ao centro. Apesar de inconformada por não obter as respostas que queria, como a vizinha insistisse, ela resolveu fazer o que lhe recomendaram.

Aos poucos Maria foi melhorando. Seus olhos tornaram-se mais vivos, seu rosto mais corado e o médico foi diminuindo o calmante até suspendê-lo por fim. Maria passou a interessar-se pelos fenômenos da mediunidade, estudou os livros de Allan Kardec, sentiu-se confortada.

Atribuía sua crise ao fato de haver se revoltado e conversado com Jesus de forma tão desagradável. Apesar de estar melhor, sua vida ainda continuava cheia de problemas e agora, com o desemprego, ficara pior.

Um dia tomou coragem e decidiu procurar o mentor do centro, famoso por sua bondade e lucidez, e pediu-lhe para falar. No dia marcado,

preparou cuidadosamente todas as perguntas que gostaria de fazer. Não poderia esquecer-se de nada.

Ela havia rezado muito, arrependida das palavras ásperas que pronunciara e pedido a Jesus que a perdoasse, mas que lhe mostrasse o que deveria fazer para sair da situação infeliz em que se encontrava. Haviam-lhe dito que quem planta colhe, e ela não entendia por que ela, que sempre plantara o bem, colhera tanta infelicidade. Alguma coisa não estava clara. Ela queria entender.

Diante do médium incorporado com o mentor, seu coração batia descompassado, ela se preparava para começar a perguntar quando ele falou primeiro:

— Você melhorou bem, não é mesmo?

— Melhorei.

— Mas ainda falta mais. Nossa parte, nós já fizemos, mas você ainda não fez a sua. Enquanto não fizer isso, nós não podemos fazer mais nada por você.

— Minha parte? Mas eu tenho procurado fazer tudo que eu sei.

— Entendo, filha. Mas, se você estivesse fazendo o bem, sua vida estaria melhor e você estaria feliz. Como não está, fica fácil perceber que não está fazendo o seu melhor.

— Como? Tenho me sacrificado a vida inteira pelos outros, renunciado ao que eu gosto para obedecer aos deveres e você ainda diz que eu tenho de fazer mais? Sabe como passava meus domingos? Sendo voluntária, ajudando os pobres. Que mais posso fazer?

Ele sorriu alegre quando interveio:

— Nada, minha filha. Tudo isso que você falou, não vale de nada. Melhor seria mesmo que você nunca tivesse feito.

— Como assim? Não estou entendendo.

— É fácil. É só fazer tudo ao contrário que vai dar certo.

— Está me dizendo para ser egoísta?

— Não. Estou dizendo para pensar em si. Esse é o seu primeiro dever. Você, para agradar os outros, abandonou-se. Perdeu sua individualidade, seus valores, obstruiu sua sensibilidade. Tornou-se um objeto que as pessoas usam sem nenhum respeito. Tudo o que você nega para você, a vida não lhe dá. Se deseja ter paz, ser feliz, precisa tomar posse do seu espaço. Assumir a responsabilidade pela sua vida. Construir dentro de você um lugar de paz, só seu, onde você vai refazer-se, consultar seu coração e depois tomar as atitudes adequadas.

— E se eu errar?

— O que é que tem? Qualquer um erra. É o melhor jeito de aprender.

— Se eu fizer isso, o que os outros vão dizer de mim?

— Se não deixar essa vaidade de lado, não vai conseguir. Depois, parecer boa sem ser é uma ilusão que leva à insatisfação. Vá para casa e pense no que eu lhe expliquei. Não faça parte de fraca. Se teve coragem de brigar até com Deus, você não é fraca de jeito nenhum.

— Mas Ele me castigou e eu fiquei mal.

— Deus jamais castiga. Ele estava lhe cutucando havia muito tempo, para ver até onde ia sua mansidão. Ficou feliz da vida quando você reagiu. Não foi agradável, mas foi o jeito que você encontrou para quebrar a barreira que tinha criado.

— Não foi um espírito obsessor que me fez fazer isso?

— Nada disso, minha filha. Foi você mesma. Tanto tempo se contrariou, se machucou, se esmagou que para sair só fazendo muita força.

— Quer dizer que fiz tudo sozinha?

— Fez. Você é muito poderosa. Se usar toda essa força a seu favor, já pensou em quantas coisas boas fará? Agora vá e trate de se posicionar, só fazer o que tiver vontade. Esse é seu remédio.

Ela hesitou e depois perguntou:

— E a assistência social, continuo como voluntária?

— O trabalho voluntário deve ser um prazer, um desejo do coração. Só assim vai produzir o bem. Pelo jeito, você não gosta, passa mal e só vai por obrigação. Assim, é melhor que não vá.

— Entendi.

A partir daquele dia, Maria começou a mudar. A princípio, as pessoas estranharam, irritaram-se, mas depois, aos poucos, foram entendendo e começaram a tratá-la com respeito. Agora, quando ela conversa com Deus, somente pede que Ele lhe mostre como fazer bem a sua parte.

Encontro com o destino

Acássio Mendes

Rogério consultou o relógio. Fazia duas horas que estava esperando. Tinha vontade de ir embora, mas permanecia no local, inconformado com o fracasso de seus projetos. A essa altura sentia que não havia mais possibilidade de ela chegar, mas ao mesmo tempo como encarar o fim de seus sonhos de felicidade tão longamente acariciados?

Enquanto caminhava pela praça de um lado a outro, ele ia recordando os bons momentos que vivenciaram juntos. O prazer dos primeiros encontros, dos beijos trocados na ingenuidade da adolescência. Depois o namoro, o casamento, o nascimento do primeiro filho. Como ela podia ser tão indiferente? Como podia atirar fora aqueles anos de convívio, indiferente aos sentimentos dele?

Por mais que pensasse, não conseguia aceitar, compreender. Sempre havia se esforçado para ser um marido exemplar. Cumpridor de seus deveres com a família. Por mais que os amigos caçoassem, conseguira manter-se fiel.

Apesar disso, ela fora aos poucos se distanciando, fugindo às suas carícias, mostrando-se indiferente e por fim anunciou:

— Sinto, Rogério, mas não dá mais para continuar. Estou indo embora. Pensei muito e decidi. Vou procurar minha felicidade.

Surpreendido e abalado, ele quis saber:

— Por que está fazendo isso? O que aconteceu?

— Aconteceu que não o amo. Não posso continuar fingindo algo que não sinto.

— Não posso acreditar! Você está mentindo. Diga a verdade. O que aconteceu? Alguém fez alguma intriga contra mim?

— Não. Estou dizendo a verdade. Não amo você e não estou disposta a passar o resto da minha vida vivendo assim, sem amor. Vou embora com o Betinho.

— Você enlouqueceu? Vai tirar meu filho de mim?

— Não. Nada vai mudar com relação a ele. Poderá vê-lo sempre que quiser.

— Não posso aceitar isso! Você está destruindo minha vida!

— Ao contrário, estou libertando você. Não acho justo ficar ao seu lado sem amor. Você é bom, merece ser feliz. Pode encontrar outra que lhe dê o que eu não posso dar.

Ele tentou de todas as maneiras fazê-la mudar de ideia, mas ela não cedeu. Quando ele voltou para casa à noite, ela já não estava mais. Havia se mudado para a casa de uma amiga.

Rogério não se conformou. Procurou a família dela, pediu que intercedessem, mas foi inútil. Norminha não atendeu as ponderações dos pais. Havia arranjado um emprego e colocara o filho em uma creche.

Apesar da disposição dela, ele não desistiu. Procurava-a de todas as formas, fazendo-lhe propostas de melhoria, tentando convencê-la a voltar. Os amigos lhe diziam que fosse durão, não a procurasse por algum tempo. Ela haveria de perceber como a vida era dura para uma mulher sozinha e acabaria por voltar.

Não foi mais falar com ela, seguindo-a a distância sem que ela percebesse. O que ele desejava não aconteceu. Ela não o procurou. O tempo foi passando e nada. Inconformado, sofrendo a dor do abandono, ele decidiu: ia deixar a cidade. Não podia continuar vivendo ali, onde todos os lugares o faziam recordar o passado, onde as pessoas perguntavam fazendo-o sentir-se mais triste e rejeitado.

Largou o emprego, juntou todo o dinheiro que tinha, conversou com os pais, com os irmãos e preparou tudo para a partida. Mas, antes de ir, resolveu fazer a última tentativa. Escreveu uma carta falando de sua dor, dos seus sentimentos, dizendo que ia embora para sempre. Não ia levar nada da casa que também fora dela. Ela poderia morar na casa, ficar com tudo o que havia lá. Ele levaria apenas seus objetos de uso pessoal. Ao ir embora para sempre, ele desejava perguntar-lhe ainda uma vez se ela queria voltar para seu lado. Eles poderiam mudar de cidade e recomeçar a vida em outro lugar, longe de tudo e de todos. Se ela concordasse em voltar, que fosse encontrar-se com ele. Deu lugar e hora.

Mas ela não viera. Sequer respondeu a carta. Sabia que ele iria para sempre e não desejou se despedir. Acabrunhado, sentou-se no banco do jardim, sentindo o gosto amargo da desilusão.

Não gostou quando um homem sentou-se a seu lado. Não estava com vontade de ver ninguém. O homem tentou conversar:

— Não está com frio sem paletó?

Rogério olhou e não respondeu. Ele insistiu:

— Com essa camisa fina vai se resfriar.

Rogério teve vontade de dizer que ele não tinha nada com isso, que ele queria mesmo era apanhar uma pneumonia e morrer. Mas permaneceu calado.

— A vida faz tudo certo! — acrescentou ele. — Pena que a gente custa a perceber.

Rogério olhou-o irritado. Estaria bêbado? Não sentiu cheiro de álcool. Sem se importar com o silêncio dele, o homem prosseguiu:

— Sabe, estou falando isso por mim. Durante anos sofri com a família. Minha mulher não gostava de mim, mas eu não queria aceitar a recusa dela. Achava que era por amor, mas hoje eu sei que era por birra. Não é que ela tinha a coragem de me recusar? Eu nunca havia sido recusado. Era bonito, bem-posto, as mulheres me disputavam. Mas a Elvira, que parecia tão amorosa durante o namoro, começou a pôr as manguinhas de fora logo depois do casamento.

Ele fez uma pausa e, percebendo que repentinamente Rogério se interessara, ele continuou:

— Quanto mais ela demonstrava desinteresse, mais eu a queria. Ela se aproveitou e por qualquer coisa dizia que ia embora. Eu ficava em pânico. Como poderia viver sem ela? Assim, joguei fora minha dignidade e passei a fazer tudo que ela queria para que não me abandonasse. Passei a viver em função dela. Abandonei amigos, deixei o emprego de que eu gostava por uma função que desse mais dinheiro, não fazia nada sem perguntar o que ela queria.

Rogério olhava-o penalizado. Pensando em seu próprio drama, justificou:

— Mas ficou ao lado dela. Você a amava!

— Fiquei nessa vida durante vinte anos. Até ontem. Hoje sei que nunca a amei, que perdi muitos anos de minha vida por causa da minha vaidade idiota. Foi preciso que eu fosse até o fundo do poço para perceber isso.

— Não compreendo.

— É que ontem, quando eu cheguei em casa, ela havia ido embora com o outro. Todo mundo sabia, menos eu. Desculpe se estou falando da minha vida íntima. Mas é que eu não tinha com quem desabafar. Acho mais fácil me abrir com um estranho do que com os amigos.

Os dois ficaram silenciosos por alguns instantes imersos nos próprios pensamentos. Por fim Rogério tornou:

— Não entendo você. Está pior do que eu. Minha mulher me largou, mas ela não me traiu. Não arranjou outro.

— Como sabe?

— Eu a segui durante algum tempo. Não vi nada. Mas, em vez de se lamentar, você acabou de dizer que a vida faz tudo certo! De onde você tirou essa ideia?

— Veja você. Elvira não gostava de mim. Ela disse isso. Naquele tempo ela ainda não tinha outro. Mas sabe como é, ninguém é de ferro. Ela tinha necessidade de amor e isso ela não encontrava comigo. Eu lhe dava o meu amor, mas ela queria sentir o dela. Entendeu? Quando ela sentiu isso por outro, não hesitou. Não me largou com receio de que eu não suportasse, mas se acomodou da forma como pôde, mantendo um relacionamento extraconjugal.

— Você diz isso com uma calma!

— Digo. Ela teve razão. A culpa foi minha. Quem mandou eu insistir em uma coisa impossível? Como eu podia querer algo que ela não tinha para dar?

Rogério olhou-o assustado. Norminha também não sentia amor por ele.

— Você tentou, fez o possível...

Ele abanou a cabeça negativamente:

— Não. Eu não quis deixar o sonho de amor. Na verdade ela não era a mulher capaz de me fazer feliz. Com minha atitude infelicitei a vida dela. Se houvesse concordado com a separação há vinte anos, eu teria encontrado a pessoa certa que me apreciasse e com a qual eu seria feliz. Ela não teria que mergulhar na infidelidade, num romance escuso.

— Depois de tudo o que você fez, de tantos anos de dedicação, ainda está se culpando pelo que ela fez?

— Estou me culpando pelo que eu fiz. É diferente. A vida sempre faz o melhor. Eu tive a oportunidade de escolher. De me separar, de sair da ilusão e encontrar meu verdadeiro caminho. Mas eu teimei, quis impor minha vontade e perdi vinte anos de felicidade. Sabe de uma coisa?

Estou fazendo hora porque vou tomar o trem para São Paulo. Afinal, ainda tenho tempo. Tenho quarenta e cinco anos. Vou começar nova vida. Estou deixando tudo. Juntei todo o meu dinheiro e vou rumo à aventura.

Admirado, Rogério perguntou:

— Como se sente depois de tudo?

— Maravilhoso! Finalmente me libertei das amarras. A vida é maravilhosa! Sinto-me renovado. Vou namorar, amar, viver. Quero recuperar o tempo perdido.

Rogério olhou para ele, pensou um pouco, depois, subitamente, levantou-se dizendo:

— Você tem razão. Sabe que também vou viajar nesse trem? Estou fazendo o mesmo que você. Deixei o emprego, peguei todo meu dinheiro e vou tentar a sorte na capital.

O outro entusiasmou-se:

— Não diga! Podemos viajar juntos. Onde vai ficar lá?

— Ainda não sei. Decidirei quando chegar.

— Vou fazer a mesma coisa. Temos apenas meia hora. Deixei as malas na estação.

— Eu tenho que apanhar as minhas. Quer ir comigo?

Os dois levantaram-se e enquanto caminhavam falavam de suas possibilidades para o futuro. Rogério contou-lhe também seus problemas finalizando:

— Hoje eu pensei haver marcado um encontro com minha mulher, mas havia marcado um encontro com o destino. Foi preciso encontrá-lo para descobrir que nesta noite eu estou ganhando vinte anos da minha vida. Depois disso, concordo com você: a vida faz tudo certo e sempre pelo melhor!

Caminhando a passos vigorosos, ambos desapareceram na curva da rua.

A poesia

Albert Schultz Wasserman

O escravo do saber estabelece regras. A disciplina as torna utilizáveis. Porém, só o discernimento sabe como vivenciá-las.

A poesia não é uma regra descritiva, nem uma disciplina férrea. Ela se dá ao luxo de ser espontânea dentro da forma, agressiva, rompendo regras, expressiva e, na profundidade de suas emoções, ela transcende à rotina, alça voo pelo azul do céu ou desce às profundezas do inferno.

Ela depende de que lado você prefere olhar as coisas, mas sempre será uma maneira brilhante de dizer, de mostrar, de fazer sentir.

A poesia é o culto à beleza em todas as suas faces, da antiguidade aos abismos, ela nunca usará outra linguagem, só e unicamente a beleza!

Espiritualidade é a forma expressiva da poesia de Deus!

A volta

Um amigo

Em meio a tantas tribulações de minha última vida terrena, eu estava decidido a mudar, a não mais cometer os mesmos desatinos anteriores. Para isso resolvi, aqui mesmo no astral, antes de reencarnar, estudar as causas que determinaram meus fracassos e deram razão a tantos sofrimentos.

Isso acontece com quase todos ao decidir voltar à Terra. Da mesma forma que, quando vamos partir em uma viagem, desejamos nos proteger e evitar os apuros em um país distante, procuramos reforçar os meios de proteção, armazenando no subconsciente, e nesse caso até no inconsciente, dados e recursos que mesmo esquecidos nos influenciam e defendem.

Por isso, são comuns aqui os cursos de preparação onde aprendemos a identificar possíveis problemas com os quais costumeiramente nos envolvemos no campo emocional. É difícil para nós compreender que a ausência de drama não significa ser insensível.

Acostumados aos exageros mundanos em que as aparências impressionam e podem determinar o julgamento dos outros a nosso respeito, ninguém deseja parecer indiferente e sem sentimentos. Por isso, demonstrar piedade excessiva, exagerar a dor alheia, entrar na emoção, é um costume tão radicalizado que, quando alguém não o utiliza, é logo execrado como empedernido.

Todavia, aqui os critérios são outros. Somos levados a descobrir que o exagero adultera a realidade e cria sofrimentos desnecessários. Não só enfraquecem quem os utiliza como estabelecem círculos viciosos de opressão e de dificuldades.

Por isso, controlar as emoções, atender aos sentimentos mais íntimos, perceber os fatos como eles realmente são, olhar a vida com otimismo e principalmente conhecer a extensão do próprio poder são lições que constam de todos os preparativos da reencarnação.

Se é verdade que o passado sempre estará presente em nossas vidas e certamente disporá os elementos necessários ao nosso ajuste na próxima reencarnação, ele comparece justamente para nos oferecer oportunidade de solucionarmos o que ficou inacabado e sempre vem acompanhado de novas possibilidades que, se observadas, nos libertarão.

Assim sendo, também aprendemos a olhar uma situação antiga com olhos mais experientes e atualizados. Isso é aqui, porque, quando estamos no mundo e não controlamos as antigas emoções e nos descontrolamos, dificultamos soluções e reajustes.

A excessiva pena de si mesmo, o exagero das dificuldades, deformará os fatos e os transformará em problemas, exatamente como no passado, e nem sempre nós poderemos ultrapassar as barreiras existentes, o que nos fará continuar com as mesmas necessidades, atraindo os mesmos sofrimentos de antes, inutilizando o ajuste e, às vezes, até a própria reencarnação.

Essa sensação de fracasso nos acompanha quando regressamos, percebendo que nos mantivemos no mesmo círculo vicioso, sem resolvermos nossos desajustes, precisando voltar novamente, dentro dos mesmos tipos de problemas, para tentar aprender o que necessitamos. A isso damos o nome de carma.

As religiões da Terra não pensam dessa forma. Consideram o carma inexorável e predestinado.

Aqui aprendemos que podemos mudar nosso destino e a melhor hora é sempre o momento presente. Temerosos das dificuldades na vivência terrena, por causa do esquecimento e, principalmente, no temor das influências do ambiente sempre distorcidas e distantes da realidade, procuramos em nossos sentimentos e nossas necessidades. Há, nos cursos preparatórios daqui, muitos exercícios para desenvolver nosso senso de observação, inclusive da linguagem corporal.

Conhecer-se, percebendo nossas necessidades reais, ajuda-nos a viver melhor. Por isso, aqui no astral, o interesse de todos acabou por desenvolver muito a carência do comportamento, contribuindo para que também na Terra essa ciência tenha progredido.

A psicologia, inexpressiva no início do século passado, agora tem se enriquecido intensamente e, quanto mais for compreendida, mais ela se desenvolverá na Terra, acabando por unificar-se com os sentimentos divinos, porquanto o que nasceu de uma necessidade interior de reajuste e crescimento acabará por mostrar a perfeição universal e a grandeza da vida.

Após tantos anos de estudos, eu acredito poder voltar. Agora já sei identificar algumas emoções e dosá-las adequadamente. Posso compreender o sofrimento corretivo que grassa no mundo sem que meu conceito de justiça seja abalado. Posso acalmar minha ansiedade, sempre que me sinta impotente para entender ou fazer alguma coisa. Poder confiar na proteção da vida é um recurso infalível para isso. Já consigo parar e deixar o poder divino agir por mim, sempre que não sei como proceder.

Além disso, sinto-me mais confiante, mais seguro. Em todo o caso, já consegui que alguns amigos daqui me auxiliem durante o tempo em que eu estiver aí, facilitando a rememoração quando necessário.

Por tudo isso, eu deveria sentir-me firme, sereno. Porém, pensando no breve regresso, sinto um friozinho na espinha, uma excitação, que faz parte do meu treinamento em aprender a disciplinar-me. Procuro, nesses momentos, pensar nas coisas boas que me acontecerão.

Esqueço a primeira infância, recordo a juventude. A euforia da mocidade, a alegria de viver, o amor! Como será bom sentir novamente essas emoções, usufruir do poder de criar novas experiências, escrever outras páginas no livro da minha vida.

Sim, eu retorno em breve. Uma nova oportunidade de vida! Mas, desta vez, tudo será diferente. Saberei escolher pensamentos, oportunidades, emoções. Terei como receita eficiente e atuante o amor. Um amor incondicional por tudo e por todos, mesmo quando não me sentir amado ou compreendido. Plantar é o mais importante. Irradiar é receber. Dar é obter.

Assim sendo, optei por uma profissão que ajude as pessoas a aprender a melhorar seu comportamento. Dessa forma estarei sempre atento às minhas próprias necessidades. Claro. Serei um espelho onde a vida sempre mostrará onde estou me situando.

Terei uma boa aparência. Eu pedi e obtive. Isso é importante não só para um bom relacionamento com os outros no mundo como para mim. Gosto da beleza e seria muito penoso conviver com uma figura mal-acabada. Meus pais serão pessoas de muito boa aparência.

Quanto à situação financeira, não me preocupa. Ter dinheiro seria bom, facilitaria meus planos, contudo, atualmente na Terra quem tem recursos não está querendo ter filhos. Só consegui uma vaga com pais muito pobres e de modestos recursos. Mas concordei. Sei que o universo é muito rico e, como eu acredito nisso, receberei todo o dinheiro que precisar para manter uma vida boa onde possa pagar meus estudos e usufruir de uma vida confortável. É tudo quanto vou precisar.

Quanto ao casamento, decidi aceitar uma companheira do passado. Naquele tempo nosso relacionamento foi muito difícil. Contudo, agora, creio que saberei melhorar as coisas. Apesar dos desconfortos, reconheço que ainda a amo muito e, onde há amor, há muitas possibilidades. Sei que ela ainda me quer, concordou em tentar de novo ao meu lado. Estou confiante. Afinal, agora estou mudado e posso até identificar novos aspectos da minha personalidade e compreender melhor certos elementos do comportamento dela.

Mesmo assim, muitas coisas vão depender de como eu vou me sair no novo empreendimento. Posso até entender que, se eu não ignorasse certos detalhes, ou já pudesse controlar todos os meus sentimentos, prescindiria dessa reencarnação.

Ninguém me informou se ela, a mulher que será minha esposa, também fez no astral os cursos de melhoria interior. Será? De qualquer forma, como ninguém me deu essa informação, por certo um dia descobrirei por mim mesmo.

Realmente estou feliz. Se vocês soubessem onde irei nascer, poderiam rezar por mim, ajudar-me. Como não sabem, resta-me o recurso de confiar em Deus e contar apenas comigo mesmo. Em todo o caso, desabafar fez-me bem. Foi como sintetizar meus conhecimentos, testar minhas capacidades.

Obrigado e adeus. Na vida, tudo acontece sempre para o melhor!

Vantagens do saber

Marcos Vinícius

Desde criança Marcelo era estudioso. Sua curiosidade não tinha limites. Estava sempre procurando aprender, saber como as coisas funcionavam. Era com alegria que estudava, assistia às aulas e não perdia a chance de descobrir o mecanismo das coisas.

Se andava de trem, conversava com os funcionários perguntando o que movimentava a máquina, como era o motor, o que a fazia andar, qual a velocidade máxima, que ano a locomotiva havia sido construída etc. Como os empregados não tinham as respostas que ele queria, acabava sempre encontrando algum passageiro que entendesse do assunto com o qual mantinha animada conversa.

Se ia a um museu, queria saber tudo sobre as obras expostas; ao fazer compras, pedia informações sobre o material dos produtos e assim

por diante. Como as pessoas não tinham todas as informações que ele queria, procurou nos livros. Tornou-se um leitor inveterado.

Aos vinte anos era considerado um gênio. Discorria sobre qualquer assunto com precisão e acerto. Seus pais orgulhavam-se dele, passando a consultá-lo para tudo, desde a simples reforma da casa até os complicados assuntos dos negócios da família.

Cursou duas faculdades ao mesmo tempo e em ambas sempre o primeiro lugar. Formou-se em física e em direito, mas conhecia outras disciplinas. Conversava sobre doenças, corpo humano, com propriedade. Discutia comportamento com conhecimento das mais modernas técnicas de terapia. Estava a par de todas as descobertas em qualquer área do conhecimento.

Seus pais esperavam dele grandes coisas. Entretanto, o tempo foi passando sem que ele definisse onde e em que pretendia trabalhar. Ele beirava os trinta anos e eles esperavam que de uma hora para outra ele se decidiria.

Porém, sempre que tocavam no assunto, recebiam respostas evasivas. Ser um físico era interessante, porém o nível de emprego era difícil. Ele queria um lugar onde pudesse continuar a pesquisar e, nos empregos que lhe haviam sido oferecidos, ele teria que se sujeitar a fazer o que sabia. Como advogado, não se sentia à vontade porque a legislação do país, retrógrada e antiquada, não lhe permitia agir como gostaria.

Como seus pais eram abastados, supriam-lhe todas as necessidades. Assim, ele continuou pesquisando, procurando aprender cada vez mais. Seus pais contemporizavam. Eles entendiam que estava difícil um trabalho à altura de tão sábia criatura. Que culpa tinha seu filho de ser tão inteligente em uma sociedade medíocre na qual a maioria não tem nível intelectual?

Insatisfeitos, eles preferiam culpar a sociedade, o governo, a falta de cultura do país e os baixos salários que não permitiam a um sábio, como Marcelo, encontrar um lugar à altura.

Por fim decidiram que ele deveria viajar, ir a outros países onde certamente seria valorizado e encontraria finalmente algo digno dele. Marcelo aceitou prazerosamente. Abrir seu campo de conhecimentos era-lhe muito agradável. Imediatamente fez seu roteiro e começou a percorrer outros países. Viajou pela Europa, onde permaneceu algum tempo, foi aos Estados Unidos, à Ásia, percorreu o mundo.

Estava com cinquenta e dois anos quando teve que voltar ao Brasil com a morte do pai. Como estava longe, não pôde ir ao enterro. Ao chegar, confortou a mãe desolada e ajudou-a com o inventário e os problemas legais da família. Tinha dois irmãos com os quais nunca se relacionara intimamente.

Na reunião com a família, tomou a palavra e orientou como as coisas deveriam ser feitas dali para frente. Contudo, sua irmã levantou-se e não concordou:

— Agora não vamos fazer como você quer. Acabou. Enquanto papai estava aqui, ele dirigia nossos negócios e nós não queríamos desgostá-lo. Mas ele não está mais e nós vamos fazer tudo do nosso jeito.

Marcelo admirou-se. Pela primeira vez alguém se atrevia a discordar das suas opiniões. Admirado, objetou:

— Não entendo. Vocês sempre me pediram opinião e sempre dei o melhor de mim. Por que não concordam comigo agora?

— Porque você é um intelectual. Vive fora da realidade. Não conhece a vida. Não tem autoridade para decidir o que fazer com o nosso patrimônio.

Ele sorriu com superioridade:

— Você é que não tem conhecimento para decidir o futuro da família. É apenas uma dona de casa, não fez outra coisa senão criar filhos, enquanto eu viajei o mundo inteiro, estudei muito, sei coisas que você desconhece.

— Você está enganado! Enquanto lia os livros que os outros escreveram, procurava coisas que nunca possuiu, ficava enchendo a cabeça de coisas inúteis, eu permiti que três espíritos nascessem. No dia a dia da vida familiar, ao contrário, com o desabrochar dessas criaturas, aprendi os verdadeiros valores da vida, o que vale a pena para mim, o que me faz feliz. Trabalhando ao lado do meu marido, ganhei dinheiro, produzi, descobri talentos que possuía. Hoje sou uma mulher vivida e realizada. Enquanto você, o que fez? Com todo o conhecimento que tem, o que produziu de útil? Nunca conseguiu sequer se sustentar. Tem sido um peso para nossos pais que nunca se viram livres do seu sustento.

"O que amadurece é a experiência."

Marcelo, pálido, ouvia em silêncio. Pela primeira vez na vida não sabia responder. Ela continuou:

— E é do meu dinheiro que quer cuidar? Você não sabe fazer isso. O que amadurece é a experiência, e você nunca cresceu. Continua criança, enganando-se, sem assumir sua responsabilidade pessoal sobre sua vida.

A mãe chorava tentando impedi-la de continuar. Por fim conseguiu dizer:

— Cale-se, Nora! Não fale assim com seu irmão. Você parece que não tem amor a ele!

— Não posso, mãe. Por amá-lo muito é que resolvi esclarecer esse assunto de uma vez. Ele sempre foi poupado, protegido, endeusado por todos nós. Não estou disposta a contribuir para a infelicidade dele. Chega. Agora que papai se foi, ele precisa crescer. Chega de esperar. Afinal, o que ele está procurando? Até quando pretende continuar ocioso e inútil? O que pode ser mais importante do que viver e desfrutar das coisas boas? A vida passou e ele não viveu. Pode haver coisa pior?

Marcelo enfiou a cabeça nas mãos e desatou a chorar. Foi para o quarto e olhou-se no espelho. Parecia estar se vendo pela primeira vez. Fechou-se no quarto e não quis ver ninguém. A mãe bateu na porta, chamou, pediu, mas ele não respondeu. Sentado em frente ao espelho, não fazia outra coisa senão pensar. Sentia um vazio interior, e isso o assustava.

Nora tinha razão. Ele não vivera. Perseguiu ilusões, vangloriava-se de ter respostas para tudo, mas, agora, não encontrava nenhuma para a dor que sentia, tendo a consciência do que fizera de sua vida.

Por que tanta ânsia de saber? Por que nunca se satisfazia com o que tinha? Por que sempre precisava de mais? Angustiado, andava de um lado para outro no quarto. Sentia-se um inútil. Ele conhecia tanto, nunca produzira nada. Sabia tantas coisas, mas nunca as utilizara.

De repente entendeu. Fizera tudo por vaidade! Uma grande, uma louca vaidade! Era glorioso quando se referiam a ele como o primeiro da classe, os olhos de seus pais brilhavam quando ele se sobressaía nas reuniões sociais. Embalados pela vaidade, eles também o incentivavam a prosseguir. A volúpia de ver o filho brilhar os empolgava a ponto de alimentá-la cada vez mais.

Em seu coração brotou surdo ressentimento contra eles. Por que não lhe ensinaram a moderação? Por que permitiram que ele se iludisse e não o chamaram à responsabilidade, obrigando-o a trabalhar e tornar-se um homem útil?

No dia seguinte, quando finalmente saiu do quarto, procurou a irmã e, abraçando-a com carinho, agradeceu:

— Obrigado, Nora. Você fez mais por mim do que qualquer pessoa da família. Reconheço que tem toda razão. Você que criou seus filhos tão bem, que descobriu a maneira certa de orientá-los já que todos são pessoas de bem na vida, pode me ajudar? Tenho sido estúpido e pretensioso. Mas de agora em diante pretendo ser diferente. Você pode me ensinar? Acha que ainda tenho tempo de aprender a viver?

Nora abraçou-o com carinho beijando-o carinhosamente na face.

— Certamente. Fico feliz que tenha entendido. Vamos nos sentar e conversar. Temos muitas coisas para nos dizer.

Enquanto a mãe os olhava admirada, sem entender, os dois, abraçados, sentaram-se no sofá e com disposição continuaram a conversar.

O relógio de ponto

Marcos Vinícius

Velho, impávido, cumprindo fielmente sua tarefa, lá estava o relógio de ponto na entrada principal. Sem atrasar nem adiantar um segundo sequer, durante mais de cinquenta anos sem parar um dia, ele marcava sistematicamente os cartões de cada trabalhador, detalhando minuciosamente a rotina de trabalho. Testemunha muda durante aqueles anos, limitado às funções que lhe foram designadas, acabou por tornar-se parte da fábrica. As pessoas estavam tão acostumadas a vê-lo na chegada, trabalhando sempre certo, que, não raro, acertavam seus relógios por ele, na saída. Quando havia qualquer dúvida no acerto de contas de um empregado, buscavam o cartão de ponto, e logo tudo se esclarecia. Ele era sempre uma garantia.

Um dia, porém, quando chegou o primeiro trabalhador, constatou que o velho relógio havia parado. Não marcava o cartão nem as horas. Funcionário antigo, não soube o que fazer e ficou ali, parado. À medida que os outros iam chegando, admirados, também permaneciam parados à espera de que um dos diretores chegasse e resolvesse o impasse.

Foi o próprio contramestre quem decidiu:

— Vamos entrar e começar a trabalhar, até o doutor Antônio chegar e decidir o que vamos fazer.

Protestos, discussões, todos querendo uma garantia de que não iriam perder as horas que trabalhariam naquele dia por causa disso.

— Ninguém vai perder nada — garantiu ele. — Vou considerar o horário desde agora. Pelo meu relógio são sete e quarenta.

— Isso não! — protestou Júlio que havia chegado primeiro. — Estou aqui desde quinze para as sete e, se não comecei a trabalhar, não foi minha culpa.

— Eu também. Cheguei com ele e não posso ser prejudicado apenas porque o relógio quebrou.

— Eu também. Cheguei antes das sete. E o seu relógio está adiantado. Agora são sete e vinte, e não sete e quarenta.

A reunião se acendeu, e o contramestre não conseguiu convencê-los a trabalhar.

— Vocês estão se aproveitando da situação — exclamou irritado. — Não vão me tapear com isso. Sei que o meu relógio está certo. É melhor entrarem logo para o trabalho e tratarem de recuperar o tempo perdido. Já perdemos muito tempo. Hoje já não vamos conseguir manter nossas metas de produção.

— Vamos, só se você acertar seu relógio. Todos nós chegamos antes das sete.

— E se eu recusar?

— Não entraremos para trabalhar — respondeu Júlio decidido.

— Mas o que é isso? Uma revolução? O doutor Antônio não vai gostar. Querem perder o emprego?

— Não é nossa culpa. Vocês já deviam perceber que aquele relógio estava velho e precisava ser substituído. Por que não viram isso antes? Agora somos nós que vamos perder? — gritou Gino.

O impasse estava formado e todos ficaram aglomerados na entrada, discutindo acaloradamente se deviam ou não entrar para o trabalho. Gino, mais revoltado, aproveitou para chamar a atenção dos companheiros:

— Vamos lutar pelos nossos direitos! Nossos salários são insuficientes. Precisamos de um aumento. Estamos sendo explorados e agora querem nos prejudicar nas contas.

— Precisamos diminuir as horas de trabalho. Estou cansado de tanto trabalhar — bradou outro.

Encorajados por Gino, aos poucos, cada um foi se animando e colocando suas necessidades e o que eles queriam de melhoria em suas condições de trabalho. Expunham suas reivindicações com entusiasmo e Gino os estimulava falando dos lucros que só o patrão embolsava. O contramestre, assustado, aproveitando-se de um breve silêncio, conseguiu dizer:

— Vocês nunca reclamaram de nada. Pareciam satisfeitos com o trabalho. Vou telefonar para o doutor Antônio. Vocês vão expor tudo isso a ele.

Entrou para telefonar. Eles ficaram em silêncio. Vendo que perdia terreno, Gino preveniu, veemente:

— Ele vai falar mal de nós ao patrão. É um puxa-saco! Está contra nós e do lado dele! Vamos deixá-lo fazer isso?

— Vamos perder o emprego! Eu não posso deixar de trabalhar — adiantou-se um, tentando acalmar os ânimos.

— Vamos impedi-lo de telefonar — prosseguiu Gino, convidando os outros a entrar no prédio.

— Não vamos fazer isso — refutou Júlio.

— Você está é com medo — reagiu Gino.

— Isso é mentira. Não tenho medo de ninguém!

— Não é o que parece — insistiu Gino. — Você está tremendo!

— De raiva. Você está me desafiando — replicou Júlio, investindo sobre Gino, empurrando-o.

O outro reagiu, trocaram alguns sopapos e foram logo separados pelos amigos.

— O que é isso? — indagou Norberto, funcionário antigo e muito respeitado pelos demais. — Companheiros brigando, onde já se viu? Vamos logo acabar com isso.

Foi aí que houve um murmúrio geral. O carro do doutor Antônio acabara de parar diante da entrada principal. Ele desceu do carro acompanhado por um homem carregando uma maleta. Em silêncio, os homens afastaram-se, abrindo passagem.

— Bom-dia — foi dizendo o doutor Antônio com naturalidade. — Este é o Antunes, perito em relógios de ponto. Veio consertar.

Antunes aproximou-se do relógio, abriu a maleta e começou a trabalhar. Curiosos, todos o observavam. Não levou mais de cinco minutos.

Abriu-o, verificou, colocou um pouco de óleo nas engrenagens e logo ele começou a funcionar.

— Não foi nada — constatou ele satisfeito. — Não está quebrado, precisava apenas de um pouco de óleo. Há quanto tempo não era lubrificado?

— Lubrificado? — perguntou doutor Antônio, admirado. — Nunca fizemos isso!

— Ele trabalhou durante cinquenta anos sem ter sido lubrificado uma vez sequer?

— Não é admirável? Quanto lhe devo pelo trabalho?

— Nada. Se ele pôde trabalhar tantos anos sem que lhe dessem uma gota de óleo sequer, considero uma honra poder fazer esse conserto.

Olhou rapidamente no relógio que tinha no pulso e afirmou contente:

— Vamos acertá-lo novamente.

Feito isso, despediu-se satisfeito. O contramestre, que observava calado, finalmente se manifestou:

— Então, doutor Antônio, como vamos calcular o dia de hoje?

— Nosso horário habitual é às sete. Considere que todos começaram desde essa hora.

— Sim, senhor, vamos entrar.

Um a um, começaram a marcar seu cartão. Mesmo sabendo que aquela hora de entrada não seria considerada, ninguém se furtou ao prazer da rotina. E, sem questionar mais nada, voltaram silenciosamente a trabalhar.

O caipira

Gustavo Barroso

Zeca vivia em pequena cidade do interior de Minas Gerais e era muito estimado por todas as pessoas. Levantava-se ao clarear do dia e, depois de lavar-se com a água fria que ele deixava na pequena bacia sobre o lavatório todas as noites antes de se deitar, ia para a cozinha onde sua mulher, Zulmira, já havia coado o café.

Abria a janela da cozinha e olhava com satisfação para o céu colorido pelos primeiros raios de sol e aspirava gostosamente o ar puro, ouvindo o cacarejar ruidoso das galinhas que, madrugadoras, já reclamavam a ração habitual.

Depois do café, ele ia até o barracão ao lado da casa, apanhava algumas ferramentas e com elas dirigia-se calmamente para o trabalho. Possuía pequeno pedaço de terra que comprara de seu antigo patrão e dela tirava o sustento de sua família. Cultivava hortaliças que vendia na cidade, tendo boa clientela. Feijão e arroz, plantava pouco, o suficiente para o consumo dos seus.

Zulmira cuidava dos três filhos pequenos com carinho e, aos domingos, quando a família ia à cidade assistir à missa dominical, dava gosto vê-los. Ela mesma costurava as roupas de todos, inclusive as do Zeca, que as vestia com satisfação. Levavam uma vida calma, modesta, mas não desejavam nada além disso.

Naquela manhã, Zeca saiu como de costume, dirigindo-se ao pequeno pomar para dar uma olhada nas mangueiras cujos frutos começavam a amadurecer. Apesar de haver dormido bem naquela noite, ele não estava disposto como de costume. Sentia-se sonolento e, olhando o sol que já despontava forte, pensou:

"É o calor. Hoje vai ser um dia quente."

Ali, à sombra da mangueira, estava agradável e ele pela primeira vez sentiu vontade de deixar-se ficar um pouco, contemplando os raios solares que se filtravam pelas copas das árvores desenhando arabescos no chão.

Sentou-se e, envolvido pelo farfalhar das folhas que uma brisa leve movimentava, adormeceu. Zeca sonhou que um homem vestido de uma forma diferente, que nunca havia visto, aproximara-se dele, fitando-o e dizendo:

— Zeca, preciso de sua ajuda.

— Quem é você? — perguntou ele, curioso.

— Sou o coronel Praxedes.

— Coronel Praxedes? *Num* conheço.

— Não poderia me conhecer. Já faz muito tempo que não venho aqui. Preciso que me ajude.

— Ajudar? Como?

— Sei que é um homem de bem. Quero que faça um serviço para mim. Será muito bem recompensado.

— Não posso. *Num* trabalho *pra* ninguém. Tenho que cuidar da minha roça, senão minha família não vai ter o que comer.

— Se me ajudar, não vai mais precisar trabalhar na roça. Terá dinheiro para comprar o que quiser.

Zeca admirou-se:

— Será? Mas, ainda assim, não aceito. Tenho tudo quanto preciso.

— Precisa aceitar. Estará prestando um grande favor, e eu serei seu amigo para sempre.

— Procure outra pessoa. Eu não quero nada disso.

— Não posso. Já tentei falar com outros, mas sequer me ouviram. Com você consegui e não vou desistir. Tem de me ajudar.

Zeca suspirou meio contrariado. O outro continuou:

— Estou lhe oferecendo minha amizade. Por que se nega a me prestar um favor? Se depois de tudo quiser continuar aqui como até agora, tudo bem. Mas me ajude. É caso de vida ou morte!

Zeca impressionou-se:

— É alguém doente?

— Não. Prometa me ajudar e eu lhe direi tudo. Garanto que não se arrependerá.

— Está bem — concordou ele, por fim. — Verei o que posso fazer.

— Como eu disse, sou o coronel Praxedes. Não se lembra? Meu retrato está na sala da fazenda, na casa do Juvenal. Sou o avô dele.

Zeca escancarou os olhos, assustado:

— Do meu patrão?

— Sim. Eu fiz ele vender as terras para você. No começo ele nem queria, mas depois tanto eu fiz que ele cedeu. Não é verdade?

— É. No começo, ele não queria mesmo, mas depois mudou de ideia. Mas isso não pode ser. O avô do meu patrão morreu há muitos anos. Eu nem trabalhava para ele ainda.

— Sou eu mesmo. Olhe bem, não se lembra do retrato?

Zeca fixou bem o olhar, de repente recordou-se do retrato e deu um grito de susto. Era ele mesmo. Apavorou-se:

— Cruz-credo! Nossa Senhora! É você mesmo! Meu Deus, estou falando com alma do outro mundo?!

— Calma. Não tenha medo. Não vou lhe fazer mal. Preciso que me ajude.

Mas Zeca não quis ouvir.

— Isto é um pesadelo. Tenho de acordar!

Fez um esforço imenso e conseguiu acordar. Abriu os olhos e, lembrando-se do que acontecera, saiu em desabalada carreira de volta a casa.

Zulmira, vendo-o chegar fora de hora, assustou-se:

— Aconteceu alguma coisa?

Nervoso, ele contou o sonho que tivera, ao que ela respondeu:

— Não foi nada. É o que dá dormir fora de hora. Minha finada tia sempre dizia que dormir de dia é um abuso.

— Seja como for, ele já morreu e parecia vivinho. Ele me olhava como se quisesse me obrigar a fazer o que ele pedia.

— E o que ele pedia?

— *Num* sei. Quando ele ia dizer, eu me assustei e acordei.

Ela sacudiu a cabeça preocupada.

— O que foi? — indagou ele.

— Se era mesmo a alma do coronel e você negou atender seu pedido, ele não vai se conformar. Vai andar atrás de você.

— Deus me livre! Não quero nada com alma nenhuma.

— Você não quer, mas devia perguntar o que ele queria. Era só fazer e pronto, ele ia embora. Agora, vai ficar atrás de você.

Ele suspirou agoniado.

— Vou falar com padre Savério agora mesmo. Ele deve entender de alma de outro mundo.

— Acho bom mesmo. Porque nossa vida pode desandar com um encosto desses.

— Nem fala isso. *Num* vai acontecer. Deus *num* vai *deixá*.

Zeca procurou o padre, que o confortou dizendo que fora apenas um sonho e as almas dos mortos não voltam, que ele fosse em paz e esquecesse o assunto.

Zeca voltou para casa, mas não esqueceu. Não conseguia deixar de pensar no coronel

Praxedes. Se fechava os olhos, parecia-lhe vê-lo implorando ajuda.

A partir desse dia, sentia medo de dormir e não foi mais trabalhar na roça. Inconformada, sua mulher tentava convencê-lo de que não havia nada a temer. Mas era inútil. Zeca emagreceu, o mato começou a crescer em sua roça. Preocupada, Zulmira fora ela mesma colher as hortaliças e vendê-las para conseguir algum dinheiro. Mas logo não havia mais o que vender e o dinheiro pela primeira vez começou a faltar naquela casa.

Zulmira resolveu tomar uma atitude. Aquilo não podia continuar. Foi à cidade procurar o doutor Juvenal e contou-lhe o que acontecera.

— Meu avô? Você disse coronel Praxedes?

— Sim, senhor.

— É estranho. Não terá sido apenas um sonho do Zeca?

— No começo eu também pensei, mas depois acho que ele viu mesmo a alma do vosso avô. Nunca mais foi o mesmo. *Tá* que faz pena. Ele *num* deixou ele falar o que queria. Acho que está atrás dele querendo alguma coisa.

— É estranho. O Zeca nunca foi de acreditar nessas coisas...

— É verdade. Mas eu vim pedir ajuda *pro* senhor porque *num* sei mais o que fazer para dar jeito no Zeca. O padre Savério não resolveu.

— Isso é caso para um curador. Eu conheço um e vou levá-lo para ver o Zeca. Se for mesmo a alma do meu avô, nós vamos saber.

Na tarde seguinte, o doutor Juvenal apareceu na casa de Zeca acompanhado por um curandeiro. Foram entrando.

— Esse é o seu Diocleto, benzedor de confiança que veio cuidar do Zeca.

Reunidos na pequena sala, ouviram a narrativa de Zeca. No final, Juvenal advertiu:

— Você deveria ter perguntado o que ele queria. Podia ser alguma coisa importante para minha família.

— Desculpe, doutor Juvenal, mas, quando percebi que estava conversando com uma alma penada, quase morri de susto. Por favor, senhor Diocleto, afaste ele da minha vida. Sinto que está sempre perto de mim, me olhando sem parar.

O curandeiro aproximou-se e, com voz calma, assegurou:

— Não precisa ter medo de nada. Se ele quer alguma coisa, vamos descobrir o que é.

— O senhor pode falar com ele? — tornou Zeca, esperançoso.

— Posso, mas preciso da sua ajuda.

— Eu?!!!

— É. Já que consegue ouvir o que ele diz.

— Eu *num* quero. Tenho medo dele.

— É preciso. Não quer se livrar desse problema? Garanto que não vai correr nenhum perigo.

— Não pode tirar ele daqui?

— Posso tentar. Mas, se ele deseja alguma coisa de nós, ele voltará. Se ouvirmos o que tem a dizer, ele se afastará. Só posso ajudar se fizer o que eu disser.

— Vamos, Zeca, coragem. Seu Diocleto está acostumado a lidar com almas do outro mundo. Ele é espírita!

— Se não fizer isso, ele não vai poder lhe curar — ajuntou Zulmira.

— Está bem. Farei tudo para me livrar desse fardo.

— Muito bem! — entusiasmou-se Diocleto. — Vamos ao seu quarto. Deite-se e feche os olhos.

Trêmulo, Zeca obedeceu. Diocleto colocou a mão sobre a testa de Zeca e, fechando os olhos, começou a rezar. Zeca estremeceu e começou a suar:

— Estou me sentindo esquisito — resmungou ele assustado.

Seu corpo tremia qual folha agitada pelo vento.

— Não tenha medo. *Num* vai acontecer nada. Acalme-se. Pense em Deus e confie.

De repente Zeca levantou-se, ereto, olhos muito abertos e, colocando uma mão para trás, começou a andar de um lado a outro do pequeno quarto, com uma postura altiva. Depois parou diante deles e disse com uma voz diferenciada:

— Até que enfim posso falar com você, Juvenal.

Emocionado, Juvenal constatou num murmúrio:

— Ele está falando como meu avô!

— Eu sou o seu avô. Por que vendeu a casa da fazenda?

— Os negócios iam mal e eu não tinha mais dinheiro para manter a fazenda.

— Concordei que vendesse as terras, mas queria que conservasse a casa que construí com tanto amor.

— Nós todos sentimos muito ter que vendê-la, vovô. Mas não tivemos outro remédio. Fiz tudo para evitar. Fui vendendo as terras e pretendia conservar a casa, fazer dela um recanto para nossa família. Infelizmente não foi possível. Fechei negócio há quase um mês. Mas o comprador teve de viajar repentinamente e logo voltará. Vamos passar a escritura na próxima semana.

— Você não vai passar nenhuma escritura. Fiz o doutor Medeiros viajar e, se for preciso, farei com que se demore lá por mais tempo. Você vai desfazer esse negócio.

Juvenal, pálido, só pôde dizer:

— Bem que eu gostaria, mas como vou pagar as dívidas?

— É isso que vim fazer. No meu quarto, no guarda-roupa, bem do lado esquerdo, tem uma moldura com um enfeite de metal. Puxe a argola de baixo e vai encontrar um cofre. Abra-o. Encontrará joias e moedas de ouro que solverão todas as suas dívidas. Dê algumas ao Zeca para pagar os prejuízos que causei e diga-lhe que, se me houvesse escutado, nada disso teria acontecido. Diga-lhe também que estou vivo, e a morte é uma ilusão. Entendeu?

— Sim, senhor. Farei o que me pede.

— Agora já posso ir embora. Ufa, estou cansado! Nunca tive tanto trabalho para ajudar uma pessoa. Até um dia.

Zeca foi para a cama e deitou-se. Logo em seguida deu um salto dizendo:

— Eu vi tudo. Queria falar, mas não podia. Minha boca não me obedecia. Senhor Diocleto, que mágica é essa? Como conseguiu isso? Ele foi embora mesmo?

Diocleto sorriu calmo:

— Não há nenhuma mágica. Você é que tem o poder de falar com as almas do outro mundo.

Juntos foram até a casa da fazenda e lá encontraram o cofre. Estava cheio de moedas de ouro e joias. Eufórico, Juvenal comentou:

— Era mesmo verdade! Minha avó sempre dizia que o vovô escondia um tesouro. Nunca acreditamos nisso. Ele morreu repentinamente e ninguém nunca suspeitou de nada.

Aliviado, Zeca tornou:

— Se eu soubesse que era isso, teria feito logo o que ele queria.

— O Zeca ficou tão diferente! Parecia outra pessoa. O senhor percebeu logo que era o coronel Praxedes?

— Claro! O jeito era dele mesmo. E depois, quando ele falou o nome do comprador da casa, que o Zeca não sabia, fiquei arrepiado.

— Eu custei a entrar nessa, mas agora eu gostei. Quero que o senhor Diocleto me ensine como é que eu posso *benzê* as pessoas e *conversá* com as almas do outro mundo.

Diocleto sorriu bem-humorado:

— É uma ideia boa, meu filho. Faz tempo que eu estava esperando alguém para me ajudar.

Na manhã seguinte, Zeca levantou-se cedo como era costume e, novamente de bem com a vida, lavou o rosto, tomou o seu café, pegou suas ferramentas e saiu com satisfação para trabalhar.

Reflexão

Oswald de Andrade

A beleza do feio. Quem convencionou? Quem traçou os limites ou as formas? Quem instruiu as regras do belo?

O universo optou por todas as formas em suas mutações. O homem cria barreiras, separa, coloca rótulos, estabelece condições.

É feio chorar, o branco é bonito, o preto é feio, é lindo ser intelectual, é rude ser operário. É feio ser doente, é horrível não ser como a maioria.

Quem determinou? A vida em sua riqueza criou essa multiplicidade para permitir o progresso.

O lagarto é feio, o gato é lindo, o morcego é um símbolo negativo, a borboleta reflete a leveza da luz. Um voa às cegas, a outra sabe para onde vai.

Quem nos deu esse julgamento? A forma deve ser rígida? Os conceitos devem ditar as normas? Há o bem e o mal? O finito dentro do infinito?

Como entender o processo da evolução? Como abrir os olhos para ver a beleza em todas as suas nuances, sem abranger as transformações?

Como louvar a borboleta sem ver a lagarta? O homem, sem enxergar o belo no feto em formação e em desenvolvimento?

Como desconhecer na doença difícil e dolorosa o amálgama cinzelando a obra-prima? Como criticar o furacão destruindo edificações, derrubando pontes, sem notar a renovação e o progresso que avança depois dele?

Por que fechar os olhos às chagas sociais ou denunciá-las como aberrações sem notar que essas convulsões amadurecem o homem e destroem suas ilusões, fazendo-o perceber as bênçãos que possui?

Como perceber o melhor sem o pior? Como abençoar a fartura sem a carência? Como descobrir novas pontes de progresso sem contrastes ou avaliações?

Nesta fase de minha vida, posso entender tudo isso. Olhar o mundo sem contestar. Perceber como outrora eu me excedi. Sinto-me confrangido por isso. Agora que eu posso ver que tudo é beleza, que só ela existe na criação divina, posso afirmar que, do fundo mais fundo do meu coração, eu amo este mundo, eu amo esta maravilhosa vida, e eu amo este país!

Outras Obras de Zibia

Pelo espírito Lucius

A vida sabe o que faz

Isabel já pretendia se casar com Gilberto quando foi surpreendida: Carlos, seu ex-noivo, que foi lutar na Itália e dado como morto, voltou depois de anos, cheio de amor. Mas Isabel não quis. Carlos sofreu e se revoltou. No decorrer desta história, você vai descobrir que, dependendo das atitudes de cada um, tudo pode mudar, mas sempre, em todos os casos, a vida sabe o que faz.

Se abrindo pra vida

Com quase 40 anos de idade, Jacira acredita ser prisioneira de uma situação irreversível, sem saída. Ela prefere entrar na depressão e culpar os outros pela vida infeliz, acreditando que não tem como mudar o destino. Mas, ao contrário do que pensa, o universo trabalha a favor de seu progresso, e assim ela vai descobrindo seus potenciais e se abrindo pra vida.

Vencendo o passado

Carolina é uma jovem que deseja seguir a própria vida. Não haveria obstáculo algum se não fossem a rigidez e o controle de seu pai impedindo-a de seguir seu caminho de maneira livre. A inteligência da vida, contudo, mostrará qual é a atitude que está ocasionando seus desafios. Carolina perceberá que seu pai não é o obstáculo para seu progresso, e ela mesma deverá promover sua melhoria interior, para então vencer o passado.

Onde está Teresa?

Por que Teresa saiu de casa para viajar e desapareceu? Sua família preocupa-se em descobrir seu paradeiro e o que de fato teria acontecido a ela. A trama revela um crime, um homem e uma mulher assassinados, um corpo sem identificação, tráfico de drogas e bandidos... Uma história eletrizante do início ao fim.

O amanhã a Deus pertence

Apaixonado de forma doentia por sua esposa, Marcelo acaba se envolvendo num acidente fatal. Inconformado com a morte do corpo físico, o jovem tenta, de todas as formas, ficar ao lado da mulher amada. Só depois de muito sofrimento, ele entende que apego não é amor e tempo certo é aquele em que as coisas acontecem naturalmente.

Nada é por acaso

Três histórias entrelaçadas, com desfechos surpreendentes. Um plano audacioso que possibilita a união de uma mãe estéril a um filho do coração. Esse romance, que nos toca a alma, relata a história de mulheres que buscam mães de aluguel para gerar seus filhos.

Um amor de verdade

Quando nos abandonamos, queremos achar alguém que venha preencher o buraco que cavamos. Nesta incrível história, aprendemos que cada um é o único responsável por suas necessidades.

Tudo valeu a pena

Sempre chega a hora de descobrir que a vida é mais do que supúnhamos. Sua sabedoria nos coloca diante da eterna chama da verdade, que ofusca nossas ilusões, forçando-nos a distinguir o falso do verdadeiro. É por entre os choques da realidade profunda que entendemos que tudo valeu a pena.

Tudo tem seu preço

O caminho da verdadeira vitória é sempre árduo e cheio de surpresas que determinarão o grau de desenvolvimento de nossos potenciais inatos, garantindo a evolução de nosso espírito eterno. A cada minuto, você tem a liberdade e a responsabilidade de escolher para onde quer seguir, lembrando, é claro, que na vida tudo tem seu preço.

Quando é preciso voltar

A traição da mulher amada doía no coração de Osvaldo. Açoitado pela desilusão, ele não sabia o que fazer. Como viver carregando o peso dessa dor? Como enfrentar essa dura realidade e continuar vivendo? Osvaldo descobriu a espiritualidade e acalmou o coração.

Ninguém é de ninguém

Há quem pense que sentir ciúme é prova de amor ardente, até descobrir que esse sentimento é capaz de transformar a vida amorosa em doloroso drama, podendo terminar em amarga separação. A história de Gabriela e Roberto nos ensina a vencer os desacertos do ciúme.

Quando chega a hora

O antigo casarão, que o espírito do coronel Firmino assombrava, havia muito tempo estava fechado, guardando os segredos do passado. A família de Eurico se muda para lá e, então, o passado volta com toda a força, colocando frente a frente todos os envolvidos de outros tempos.

O advogado de Deus

Muitos profissionais do Direito afundam-se na ganância, perdendo-se na desonestidade. Daniel, porém, mostra-nos que ainda podemos confiar em pessoas que respeitam a ética, buscam a verdade e, com eficiência, promovem a justiça. Na Terra, são chamados de anjos do bem e, no astral, advogados de Deus!

A verdade de cada um

Elisa é uma mulher casada e mãe de três filhos pequenos. Geninho, seu marido, seduzido por outra mulher, abandona todos, embalado pelas ilusões da paixão. Por conta do desamparo, Elisa, agoniada, envolve-se num acidente, e Geninho começa a perceber que a magia da vida revela sua verdadeira identidade.

Sem medo de viver

A felicidade é a conquista do sucesso interior. Sentir-se realizado, feliz, pleno e amado é uma ambição natural de todos nós. No entanto, só conseguiremos chegar ao topo se tivermos o otimismo audacioso de confiar nos poderes do invisível.

Pelas portas do coração – nova edição

A maioria de nós traz, embutidos na mente, modelos sociais de felicidade. Pensando em fazer o melhor, acabamos por nos conduzir ao vale do desajuste e da dor, até que a audácia de uma alma forte e lúcida mostra-nos que o verdadeiro vencedor é aquele que tem coragem de adentrar as portas do coração.

Somos todos inocentes

A culpa constrange, inferioriza, deprime. Tudo depende de como você vê os fatos da vida. Quando se vê inferior, perde o poder e, consequentemente, essa ilusão o deixa à mercê dos outros. Foi o que aconteceu com Jovino. Por que, afinal, ele foi injustamente condenado e preso por um crime que jamais cometera?

Quando a vida escolhe

Conheça a história da doce Luciana e aprenda com essa personagem que cada um de nós é a própria vida tornando-se realidade. Isso quer dizer que, quando escolhemos, é a vida escolhendo em nós. A vida jamais erra. Assim, no fim perceberemos que todos os caminhos apresentam razões e verdades.

Espinhos do tempo

Maria José, esposa dedicada e obediente ao marido, vive em uma fazenda e se apaixona pelo cunhado. Apesar de apaixonada, ela continua fiel ao marido, até o dia em que ele morre. Uma história de aceitação e resignação, por meio da qual entenderemos que o bem, do ponto de vista espiritual, é a Lei Universal – eterna e intocável.

O fio do destino

Nesta obra, o leitor conhecerá uma das vidas passadas do espírito Lucius. Sua proposta é mostrar que para cada escolha existe um resultado, uma experiência nova, e que, do emaranhado dessas constatações, surge o reconhecimento de que é possível criar nossas próprias vivências nos limites das leis da vida.

Esmeralda

Esmeralda era orgulhosa, absoluta e linda! O mistério maravilhoso de sua dança, em meio ao povo, arrancava aplausos acalorados. Sempre desejada, despertava paixões e exacerbava sentimentos. Mas foi em Valença, na Espanha, que a cigana encontrou o amor, que arrastou consigo até o seu destino final.

O matuto

Um matuto, herdeiro de enorme fortuna, parecia ser presa fácil para um advogado e para o tio inescrupuloso. Este, julgando-o morto, pretendia ficar com sua herança. No desenrolar da trama, muitas surpresas nos ajudarão a compreender melhor as lutas da vida, encorajando-nos a manter a confiança na incomensurável bondade e inteligência de Deus.

Laços eternos

Uma história de amor, ciúme e redenção, que narra a saga entre duas vidas, revelando-nos as belezas da reencarnação e mostrando que o amor é a força motriz que se funde no Todo, criando laços indestrutíveis pela eternidade.

Entre o amor e a guerra

Uma história de amor vivida por um soldado francês e uma alemã durante a Segunda Guerra Mundial. Uma lição que mostra que a realidade maior de cada ser independe de seu país, pois o que toda pessoa realmente busca é viver em paz e ser feliz.

O morro das ilusões

Na França do século 18, em Ateill, pequena vila às margens do Rio Sena, as histórias de madame Liete Merediet, frei Antônio, Anete, Marise, Ciro, Villemount, Pablo e Roberto se cruzam em uma sequência de embates. Suas experiências passadas despertam-nos para a percepção de uma nova vida, permitindo-nos crescer e conquistar o universo interior.

O amor venceu

Uma história que se passa na cidade de Tebas, no Egito antigo. Narra a dor do amor impossível de dois casais, que buscam resgatar a sua verdadeira essência. Fundamentado nas leis da reencarnação, explica os mistérios em que a humanidade se debate há milênios, buscando elucidar os fatos da época, com base no estudo de diferentes povos e civilizações.

Crônicas

Pelo espírito Silveira Sampaio

Bate-papo com o Além

José Silveira Sampaio (1914-1964) foi autor, ator, diretor e empresário. Homem do teatro, foi responsável por criar peças com um estilo cômico, focando a cultura carioca dos anos 1950 e 1960. Silveira Sampaio nos brinda com uma coletânea de crônicas que trazem lições de otimismo, alegria e bondade.

O mundo em que eu vivo

Silveira Sampaio, que sempre achou o bate-papo um entretenimento delicioso, continua, no Além, entrevistando pessoas e provando, com detalhes, como é a vida em outros planos, reforçando a teoria kardecista de que a morte, definitivamente, não é o fim.

Pare de sofrer

Valorizar a ilusão é o mesmo que preferir a infelicidade, a cegueira espiritual. O medo da realidade, que julgamos ruim, leva-nos a criar sonhos futuros, impedindo que percebamos e apreciemos todo o bem, todas as coisas boas do dia a dia. Nessa deliciosa coletânea, o espírito Silveira Sampaio aborda temas para profunda reflexão.

O repórter do outro mundo

Se você assistiu ao filme *Nosso Lar*, não pode deixar de ler este relato fascinante do espírito Silveira Sampaio. Inteligente, curioso e observador, Sampaio nos conta como é sua vida no mundo astral, na cidade de Alverne, descortinando os mistérios do mundo onde viveremos depois de deixar a Terra.

Crônicas

Por espíritos diversos

Voltas que a vida dá

Pequenas histórias recheadas de grandes e tocantes ensinamentos. Por meio de espíritos diversos, como Marcos Vinícius e Hilário Silva, Zibia Gasparetto nos traz casos reais, fazendo-nos reciclar valores, modificar ideias, aprender lições novas, de modo que desenvolvamos o nosso mundo interior.

Pedaços do cotidiano

Um livro sobre os verdadeiros fatos da existência humana, repleto de histórias que envolvem as dimensões da existência: a física e a astral. Envolvidos nesse movimento da vida, buscamos respostas ao que consideramos enigmas.

Outras Obras

Eles continuam entre nós — volumes 1 e 2

Estes livros são o resultado de pesquisas feitas por Zibia Gasparetto com os ouvintes da Rádio Mundial. Em depoimentos, ouvintes contam experiências de familiares que partiram, provando que a morte é apenas uma mudança de plano e os espíritos continuam a manter o mesmo interesse em proteger e ajudar os que aqui permanecem.

Conversando Contigo!

Coletânea de matérias que Zibia Gasparetto escreveu durante três anos para a revista *Contigo!* Apesar de seus amigos espirituais interferirem de vez em quando, este não é um livro mediúnico. Respondendo a muitas cartas, Zibia foi levada a repensar conhecimentos e rever crenças, na busca de novos caminhos, ajudando a melhorar a qualidade de vida das pessoas.

Reflexões diárias

Repleto de frases que tocam o coração, este livro de anotações traz para o leitor uma frase inspiradora de Zibia Gasparetto para cada dia do ano.

Pensamentos – edição comemorativa

Coletânea de frases retiradas dos livros de Zibia Gasparetto e de outros autores da casa em comemoração aos 20 anos da Editora Vida & Consciência.

Pensamentos – Inspirações que renovam a alma

Coletânea de belas frases inspiradas pelos mentores espirituais que se comunicam através da escritora Zibia Gasparetto.